国学一本通

孙子兵法

孙 子◎原著　马一夫◎译评

吉林文史出版社

图书在版编目（CIP）数据

孙子兵法/（春秋）孙子原著；马一夫译评.-长春：吉林文史出版
社,2009.4
（国学一本通/徐潜主编）
ISBN 978-7-80702-924-3
Ⅰ.孙… Ⅱ.①孙…②马… Ⅲ.①兵法-中国-春秋时代②孙子兵法-注
释③孙子兵法-译文
Ⅳ.E892.25

中国版本图书馆CIP数据核字（2009）第038155号

国学一本通

孙子兵法

出版人/徐 潜

出版发行/吉林文史出版社（长春市人民大街4646号）www.jlws.com.cn

主编/徐 潜

原著/孙 子

译评/马一夫

项目负责/王尔立

责任编辑/王尔立 王文亮

责任校对/李洁华

装帧设计/李岩冰 柳甫泽 董晓丽

印刷/长春第二新华印刷有限责任公司

版次/2009年4月第1版 2009年4月第1次印刷

开本/720mm×1000mm 1/16

字数/280千字

印张/13.5

书号/ISBN 978-7-80702-924-3

定价/19.80元

前言

《孙子兵法》，史称《孙子》，又称《孙武兵法》，作者是春秋末期人孙武。

孙武，字长卿，齐国乐安(今山东惠民)人，据史籍推算，与孔子是同时代的人。孙武祖籍陈国，先祖陈宪，即有名的田完(古时陈、田音同义通)为避内乱逃至齐国。田完五世孙田书(孙武的祖父)，因战功被齐王封于乐安，并赐姓孙。

《孙子》十三篇包括计篇、作战篇、谋攻篇、形篇、势篇、虚实篇、军争篇、九变篇、行军篇、地形篇、九地篇、火攻篇、用间篇，共七千余字。全书贯穿着朴素唯物论和原始辩证法的思想和方法，深刻揭示了战争与政治、外交、经济、自然环境等方面的复杂关系，用兵者的主观能动与用兵的客观规律、现实条件之间的相互作用和相互制约，全面论述了战争的普遍规律和指导战争的重要原则。

孙武的军事思想博大精深，军事谋略神妙绝伦，几乎囊括了战争从构想、发动到实施、结束的全过程和相关的各个方面。其中，突出强调的慎战论、速战论、智胜论、全胜论等战略思想，具体阐述的"合于利而动，不合于利而止"、"因利制权"、"因敌制胜"、"知彼知己"、"知天知地"、"致人而不致于人"、"不战而屈人之兵"、"修道保法"、"素行教民"、"安国全军"等基本原则和"虚实"、"奇正"、"迂直"、"动静"，以及"处军"、"相敌"、"取人"等战术方法，都有极大的概括性和普遍的适用价值，千百年来一直享有崇高的声誉。

当然，由于当时客观现实和认识水平的局限，《孙子》不可避免地存在着不少偏误甚至错谬的地方，如轻视甚至愚弄士兵、只重得利而不问正义还是不义等，需要仔细甄别辨析，应该坚决予以剔除。

《孙子》成书至今已有二千五百多年，是我国乃至世界上现存最早最有影响的军事理论巨著，被后世尊为"兵家圣典"、"武学奇书"、"东方兵学鼻祖"、"世界第一兵家名书"。《孙子》之后虽有不少兵书问世，但正如唐太宗李世民所言："朕观诸兵法，无出孙武。"《孙子》在军事实践中的运用更为普遍，从战国到现代，几乎所有的战略家、军事家都直接或间接地受到过孙武军事思想和战术谋略的影响。

国学一本通

孙子兵法

目录

计篇第一

开篇

　　高明的战略家和指挥官，能够"运筹于帷幄之中，而决胜于千里之外"。其成功的关键是运筹，即事先的谋划筹措、分析研究，从而根据具体的客观现实制定切实可行、行之有效的战略战术。这便是孙武所言之"计"。

原文

　　孙子曰：兵者，国之大事，死生之地，存亡之道，不可不察也。

　　故经之以五事，校之以计而索其情：一曰道，二曰天，三曰地，四曰将，五曰法。道者，令民与上同意也，故可以与之死，可以与之生，而不畏危。天者，阴阳、寒暑、时制也。地者，远近、险易、广狭、死生也。将者，智、信、仁、勇、严也。法者，曲制、官道、主用也。凡此五者，将莫不闻。知之者胜，不知者不胜。故校之以计而索其情，曰：主孰有道？将孰有能？天地孰得？法令孰行？兵众孰强？士卒孰练？赏罚孰明？吾以此知胜负矣。

　　将听吾计，用之必胜，留之；将不听吾计，用之必败，去之。

　　计利以听，乃为之势，以佐其外。势者，因利而制权也。

　　兵者，诡道也。故能而示之不能，用而示之不用，近而示之远，远而示之近。利而诱之，乱而取之，实而备之，强而避之，怒而挠之，卑而骄之，佚而劳之，亲而离之。攻其无备，出

◎玉双螭纹◎

其不意。此兵家之胜，不可先传也。

夫未战而庙算胜者，得算多也；未战而庙算不胜者，得算少也。多算胜，少算不胜，而况于无算乎？吾以此观之，胜负见矣。

译文

孙子说：战争是国家的大事，是关系到人民生死、国家存亡的重要领域和根本问题，是不可以不加以认真研究的。

所以，要从五个方面进行仔细的比较分析，从而探索了解敌我双方的真实情况。这五个方面，一是政治，二是天时，三是地利，四是将帅，五是法制。所谓政治，就是能使人民与君主同心同德的政治路线和政策方针，让人民甘愿与君主同生共死，而不害怕任何危难。所谓天时，指的是用兵时的昼夜晴雨，严寒酷热，春夏秋冬等气候情况。所谓地利，就是用兵打仗时距离的远与近，地势的险峻与平坦，地域的宽阔与狭窄，是死地还是生地等地理条件。所谓将帅，要考察他是否具有足智多谋、言而有信、仁爱部下、勇猛果断、治军严明等素质和能

◎孙子雕塑◎

力。所谓法制，是指军队的组织编制、军事训练、管理教育、军令法规、武器装备、军需供应等情况。以上这五个方面的情况，将帅们没有不了解的，但只有真正了解和掌握这些情况的人才能取得战争的胜利。所以说，必须从以下七个方面认真比较计算，从而探索敌我双方胜败的情势。也就是说，比较敌我哪一方的君主政治清明，路线政策正确?哪一方的将帅有才能?哪一方占有天时与地利?哪一方的军纪严明、法令能严格执行?哪一方的兵力比较强大?哪一方的士兵训练有素?哪一方的军队管理有方、赏罚分明?我根据这些情况就可以判断谁胜谁负了。

如果君主听从采纳我的计谋，并用它指导战争，就一定能取得胜利，我就留下来；如果不听从我的计谋，贸然用兵便必然招致失败，那么，我就应该辞别而离去。

如果经过利害的权衡，君主采纳了我的计谋策略，就要设法造成有利的态势，用它辅助军事行动外部条件的形成。所谓有利的态势，就是根据对我有利的情况而采取灵活机动的措施和行动。

用兵打仗是一种诡诈之术，需要运用种种方法欺骗敌人。所以，明明能征善战，却向敌人装作软弱无能；本来准备用兵，却伪装成不准备打仗；要攻打近处的目标，却给敌人造成攻击远处的假象；要攻打远处的目标，相反却装作要在近处攻击。敌人贪心就用小利来引诱它上当；敌人混乱就乘机攻取它；敌人实力雄厚就要谨慎防备；敌人强大就暂时避开其锋芒；敌人容易冲动发怒，要设法挑逗他，使其失去理智；对于小心谨慎的敌人，要千方百计骄纵它，使其丧失警惕；敌人安逸就设法骚扰它，搞得它疲劳不安；内部团结的敌人，要设法离间它，让它分裂。在敌人没有准备时，突然发起进攻，在敌人意料不到的情况下采取行动。凡此种种，是军事家用兵取胜的奥妙，只能随机应变灵活运用，是无法事先规定刻板传授的。

开战之前，在朝廷的策划谋算时就能预知胜利的，是因为筹划周密，胜利的条件充分；开战之前就预计不能取胜的，是因为谋划不周，获胜的条件缺少。筹划周密，条件充分，就能取胜；筹划不周，条件缺少，就难以取胜，更何况根本不作筹划、毫无条件呢?我们依据这些方面来考察，谁胜谁负便一目了然了。

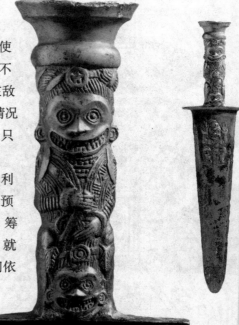

◎猎首纹铜剑 战国◎

◎"三十六计"摩崖石刻之"空城计"，四川宜宾蜀南竹海天宝寨。◎

评点

《孙子》以《计篇》作为十三篇之首，足见孙武对运筹谋划的重视。在孙武看来，"计"是决定战争胜负的首要因素和前提条件："多算胜，少算不胜。"而且应在未战之前便充分完成。那么，战争的决策者应该谋划算计些什么呢？

首先，对战争应有严肃审慎的态度："兵者，国之大事，死生之地，存亡之道，不可不察也。"要认真研究分析，然后决定是否用兵，即使非动武不可，又如何保证获得胜利，绝不可随心所欲，贸然行动。在这里，孙武提出了"慎战论"的观点，并作为他研究兵法、指导战争实施的基本主张。

其次，列举"五事七计"，用以考察决定战争胜负的基本标准。"五事"即"一曰道，二曰天，三曰地，四曰将，五曰法"，从君主、政治到自然条件，再到将帅、军纪法制，既包括主观因素，又有客观条件，既有上层建筑，又关注物质基础。"七计"即"主孰有道？将孰有能？天地孰得？法令孰行？兵众孰强？士卒熟练？赏罚孰明？"是对"五事"进行深入考察、分析研究的具体落实。"五事七计"几乎包含了战争中关键因素的全部，据此而判断战争的胜负，并据此而决定是否用兵。

第三，阐述用兵打仗必须掌握的特殊法则，"因利而制权"和行"诡道"。根据有利于自己的原则，针对具体情况采取灵活机动的策略，掌握战争的主动权，用诡诈之术迷惑敌人，削弱敌人的战斗力，增加自己胜利的把握，然后，"攻其不备，出其不意"，突然发起攻击，克敌制胜。在这里，

孙武设计了诡诈"十二术"，其指导思想是"因利制权"，是为了实施最后的"攻其不备，出其不意"。这是在"慎战"前提下的战术运用，同时也表现了对"制权"可能性的思考。

最后，特别强调用兵前朝廷的周密谋划对战争胜负的决定作用，是一篇的结论。上言之"慎战"，"五事七计"之考察，"十二术"、"出奇制胜"之战术运用，都应该是"庙算"的具体内容。同时，也是《孙子》全书的总挈，"十三篇"的全部内容，其实就是对战争各个方面因素的谋划算计，说的全是"计"，为的正是"多算胜"。孙武对运筹谋划的认识极为深刻，分析论述精辟周密。

孙武将"道"列为考察校计的第一对象，强调政治路线应符合民意（"令民与上同意"）。把人心向背看作决定战争胜负的深层根本原因，是他军事思想的精彩之笔，闪现着真理的光芒。隋朝末年，李渊起兵太原讨伐隋炀帝，广大民众纷纷响应，起义军迅速壮大。隋炀帝的荒淫无道，使民众怨声载道，于是纷纷揭竿而起。而李渊对属下士卒不分贫富贵贱，一律称为义士，论功行赏、提升军官一视同仁，家奴马三宝因战功显赫升为左骁卫大将军，奴隶出身的钱九陇后来做了眉州刺史。正确的政治路线，大大激发了士兵的积极性，冲锋杀敌英勇无比，为君主献身而不畏艰险。"道"的正确，在唐王朝的建立过程中，起了极为重要的作用。

孙武谋略是战争规律的总结概括，在实战中屡试不爽，屡显奇效。试看"诡道十二术"。战国时期齐魏之战，孙膑用主动后撤、逐日减灶、避战示弱的计策，引诱魏军出击，在地势险要、树木茂盛之处埋伏，终于在马陵射杀庞涓，生擒魏将太子申，齐军大获全胜。此乃"能而示之不能"。

秦末楚汉战争时，汉将韩信攻无不克，兵临齐国历城，齐王畏惧韩信勇猛，怯战求降。韩信深知齐王求和是迫于威慑，日后恐有反复，于是一面同意求和，一面趁齐王麻痹之机，突袭毫无防备的历城，又攻克了齐都临淄。用议和受降来掩盖攻击，是"用而示之不用"。

孙武为剪灭掩余、烛庸而欲攻养城，却派部队佯攻数千里外的城父、弦邑，调动楚军往来奔袭救援，趁机轻取养城，诛杀叛贼。用的是"近而示之远"。

刘邦用张良之计，在楚军眼皮底下修复被毁的栈道，暗中却派韩信率主力部队奔袭陈仓(今陕西宝鸡市)，攻克陈仓后迅速向东扩展，乘势攻占了整个关中地区。"明修栈道，暗度陈仓"，是"远而示之近"的成功范例。

隋炀帝十一年，江都函王世充用"利而诱之"大败孟让领导的起义军。战前，王世充故意散布有大批士吏叛逃的消息，孟让得知便得意妄想，不把王世充放在眼里。初战，王世充又令隋军佯败，孟让更加骄纵，放任士兵掳掠。此时，王世充命部队四面出击，大败起义军，孟让只身落荒而逃。

曹操利用袁氏兄弟争夺继承权的内讧，采取各个击破的方法，先杀袁谭，接着又消灭了袁尚、袁熙，全部占领了河北四州。"乱而取之"，取得了事半功倍的效果。

东汉初年，刘秀率军镇压赤眉起义军。面对刚攻下长安，粮食充足，士气旺盛的赤眉军，刘秀采纳邓禹的建议，避开强敌锋芒，北上陕北，养精蓄锐，等待时机。不久赤眉军内部生变，刘秀一举击溃农民军，收复长安。邓禹深知"实而备之"之术，善于充己之虚、防敌之实。

"强而避之"有时需要智慧与计谋。南宋名将毕再遇与金兵对垒，金兵日增而宋军兵少不能固守，便决计退兵。为防撤退时金兵乘机追袭，毕再遇将羊倒悬，让其蹄抵在鼓面，被吊之羊挣扎时，前蹄乱动，一时鼓声大作，经久不息。金兵闻声以为宋军来袭，严阵以待，不料宋军已悄然撤走，追之不及。"悬羊击鼓"，以虚张声势造成敌人的错觉，从而得以避强而退。

"怒而挠之"即通常所言激将法。项羽率兵亲征彭越，留大司马曹咎镇守成皋，并嘱咐他严守成皋，万万不可与前来汉军应战。曹咎牢记项羽嘱托，任刘邦百般挑战，都坚守不出。张良设计激将，命士卒在白幡上画上猪狗畜生之图，写上曹咎姓名，在城下叫骂。曹咎见状怒从心中起，便忘记项羽禁令出城迎战，结果惨败，曹咎被迫自杀。刘邦率兵乘机攻入成皋，争得了楚汉战争的主动权。

战例

卧薪尝胆终灭吴

春秋末年越王攻灭吴国之战，是全面完整体现《计篇》战略思想的战例。

公元前494年，越国进攻吴国战败，越王勾践率仅存五千残兵退守会稽，不想又被吴军层层围困，面临亡国之灾。危急关头，勾践采纳了范蠡的建议，决定委曲求和，保存国土，以谋求日后的东山再起。范蠡、文种还制定了一系列徐图复兴、转败为胜的战略，即"破吴七计"。勾践依计而行，开始了长达十三年之久的复仇灭吴计划。

首先，派文种通过吴太宰伯嚭向吴王夫差求和。文种对伯嚭贿之以财宝，迷之以女色，威之以死战，晓之以利害，许之以勾践甘愿为臣仆，忠心侍奉吴王。伯嚭果然劝说夫差，准许议和，吴军撤兵回国，越国逃过了灭亡。

随后，勾践将治国之权交给文种，与王后、范蠡三人一道去给夫差当奴仆。勾践为夫差驾车养马，王后为吴宫打扫庭院。勾践卑行慎言，忍受所有屈辱，甚至以"尝粪判病"来讨好夫差。同时

经常贿赂伯嚭，用计离间吴王与忠臣伍子胥的关系。历时三年，勾践终于取得夫差的信任，被释放回国。

回国后，勾践先下一道"罪己诏"，向全国人民检讨自己与吴国结仇、使百姓饱受灾难的罪过，亲自慰问受伤百姓，抚养阵亡者遗族。卧薪尝胆，自耕自织，过着极其艰苦的生活。针对战败后人口减少、财力耗尽的情况，实行休养生息、发展生产的政策，恢复国家元气。他明确规定：妇女怀孕临产，政府派医生看护，生小孩政府给予奖励和补贴。死了儿子，免除一定的劳役。减轻刑罚、赋税，鼓励开荒种地，十年没有征收税赋，百姓家都有了三年的存粮。勾践"去民之所恶，补民之不足"的政策，得到人民的拥护，君民关系情如父子。内政改革获得成功，外交活动也收获巨大。时常给夫差送上丰厚的礼物，表示忠心臣服，麻痹消除夫差对越国的戒备，助长他的骄纵淫奢。高价收购吴国粮食，破坏其经济，造成吴国粮食

困难。用离间计挑起内部争斗，使夫差对伯嚭更加偏听偏信，对伍子胥更加疏远。从而壮大了自己，削弱了敌人。

夫差战胜越国以后，因胜而骄，根本看不到勾践决心灭吴的意图，而是加紧向北扩张，意欲称霸中原。公元前484年北上伐齐，败齐军于艾陵。公元前482年又约晋国与各诸侯会盟于黄池(今河南封丘西南)。为与晋定公争霸主之位，夫差带走所有精锐部队，只留老弱病残与太子一起留守。勾践见夫差空国出征，便急于出兵攻吴。范蠡认为吴军出境不远，一旦听说越国乘虚攻击，回兵反击并不难，越军很难有全胜把握，劝勾践暂缓出兵。数月后，吴军已至黄池，勾践调集越军四万九千人，分兵两路向北进入吴国，直逼国都姑苏。

吴太子友急忙率兵阻止越军进犯。太子友知道精锐队伍全部北上黄池，便采取坚守待援策略，不与越军交战，同时派人请夫差急速回军。吴将王孙弥庸为报父仇，不顾太子友坚守疲敌的主张，主动出击，打败了越军先锋部队，俘虏了先锋官畴无余和讴阳。首战小胜，使吴将骄傲轻敌。待勾践率主力到达，发起猛攻，吴军竟不堪一击，太子友被俘，一举攻陷了吴都姑苏。袭击战获得全胜。

夫差为争霸主，竟然一连杀了七个信使，封锁姑苏沦陷、太子被俘的消息，终于用武力威胁晋国让了步，勉强做了霸主。回军途中，吴军听到太子被杀、国都被围的消息，军心大乱。夫差见没有反击的必胜把握，于途中派伯嚭向越国求和。勾践、范蠡估计还没有马上灭掉吴国的实力，便同意议和，撤兵回国。

夫差回国后，见连年战争，生产遭到破坏，国力衰弱，没有实力报复越国，于是宣布"息民散兵"，企图恢复力量，待机再举。而夫

差并未吸取教训，依然耽于酒色，不理朝政，致使民心愁怨，政局不稳。

文种见吴国经济贫弱，吴军疲惫，国内防务松懈，建议勾践再次乘机攻吴。公元前478年，吴国大旱，仓廪空虚，勾践再次举兵进攻吴国。

战前，勾践明赏罚、备战具、严军纪、练士卒，做好了充分的临战准备。提出"为国复仇"的口号，鼓励出征者奋力作战，留乡者专心生产，争取人民的支持。出兵时，又宣布吴王夫差的种种罪状，激发人民反对夫差的情绪。

三月，越军进到笠泽(苏州南)，与前来迎击的吴军隔江对峙。黄昏，勾践命左右两翼分别隐蔽江中，半夜时呐喊鸣鼓，发动佯攻。夫差以为越军将分两路渡江进攻，连夜分兵迎

战。此时，勾践率主力偃旗息鼓，出其不意于两路吴军中间潜行渡江，于薄弱的接合部发起进攻，一举击败吴军。越军乘胜追击，再战于没（今苏州南），三战于郊（今苏州郊区），三战三捷，占领了大片土地，改变了吴强越弱的形势。

笠泽战败，吴军退回固守姑苏。姑苏城池坚固，越军一时不能攻破。勾践于是改用长期围困策略，围而不打。至二年后吴军终于势穷力竭，越军方才发起强攻。越军攻进姑苏城，夫差率残部逃到姑苏台，又被越军包围。夫差派人再次向勾践求和，被拒绝后绝望自杀。至此，越国灭掉了强吴，终于取得了吴越之战的最后胜利。

越国由败转胜，以弱胜强，终于灭吴，所采用的许多策略都与《孙子·计篇》阐述的战略思想相符合。修明政治而获得民心，以雪国耻为口号而争取人民的支持，面对强敌而避其锋芒，实力不足而严加防范、积极做好准备，对吴国君臣"利而诱之"、"亲而离之"、"卑而骄之"，决战时"攻其不备，出其不意"，一切都经过周密筹划精心准备，"得算多"而后用兵。这一切正是孙武谋略的合理性、正确性和实用性的极好证明。

◎龙纹熏炉 西汉◎
隆盖，炉壁平直，高柄座，腹部两侧设兽首衔环耳。穹隆形盖，顶上有一环形钮，周围为一圈透雕首尾相连的龙纹，弯曲盘绕，其外是两圈镂空的直条纹，呈放射状排列，腹部、座装饰凸弦纹带。

历代名将

吴起

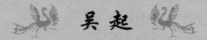

吴起（约公元前440年～公元前381年）是战国初期著名的军事家和政治家。后人将吴起和孙武并称为"孙吴"。他是继孙武之后，既善于用兵同时又具有高深的军事理论的第一人。吴起所著的《吴子兵法》在我国军事史上是一部与《孙子兵法》并列的古代军事著作。

作为政治家、改革家的吴起，还与商鞅齐名。吴起一生在鲁、魏、楚三国出将入相，显示了卓越的军事才能，对后人在兵法上的运用起到了深远的影响。同时，他治军严明，与士卒同甘共苦，深得人心。但其为博取功名而杀妻求将的做法，一直被后人所不齿。

作战篇第二

开篇

本篇继《计篇》而来，在"慎战论"的指导下，分析战争对经济的依赖关系及其破坏力，从而提出了著名的"速战论"主张，力求在敌国就地解决给养的战略原则和以战养战的具体方法。在逻辑思路上是《计篇》"五事七计"的延续扩展，但考察分析的重点转移到了经济领域，是孙武朴素的唯物论精神的具体体现。

原文

孙子曰：凡用兵之法，驰车千驷，革车千乘，带甲十万，千里馈粮，则内外之费，宾客之用，胶漆之财，车甲之奉，日费千金，然后十万之师举矣。

其用战也胜，久则钝兵挫锐，攻城则力屈，久暴师则国用不足。夫钝兵挫锐，屈力殚货，则诸侯乘其弊而起，虽有智者，不能善其后矣。故兵闻拙速，未睹巧之久也。夫兵久而国利者，未之有也。故不尽知用兵之害者，则不能尽知用兵之利也。

善用兵者，役不再籍，粮不三载；取用于国，因粮于敌。故军食可足也。

国之贫于师者远输，远输则百姓贫。近于师者贵卖，贵卖则百姓财竭，财竭则急于丘役。力屈、财殚，中原内虚于家。百姓之费，十去其七；公家之费，破车、罢马、甲胄、矢弩、戟盾、蔽橹、丘牛、大车，十去其六。

故智将务食于敌。食敌一钟，当吾二十钟；芑秆一石，当吾二十石。

　　故杀敌者，怒也；取敌之利者，货也。故车战得车十乘以上，赏其先得者，而更其旌旗，车杂而乘之，卒善而养之，是谓胜敌而益强。

　　故兵贵胜，不贵久。

　　故知兵之将，民之司命，国家安危之主也。

译文

　　孙子说：大凡用兵作战，一般的规律是要动用战车千辆，辎重车千辆，集结军队十万，还要千里运送军粮，那么，前方后方的经费，招待使节宾客的开支，维修作战器材的消耗，车辆兵甲保养补充的花销，每天都需要耗费数目巨大的资金，然后十万大军才能出动。

　　动用如此庞大的军队作战，就需要力争速胜。旷日持久就会使军队疲惫，锐气受挫；攻打城池就会使战斗力耗尽，军队长期在外作战，将会使国家财力难以为继。如果军队疲惫，锐气受挫，战斗力耗尽，国家经济枯竭，那么，别的诸侯国就会乘此危机而发起进攻。到那时，即使有再高明能干的人，也无法挽回危局了。所以，用兵作战只听说过宁可指挥笨拙而但求速胜速决的事，还没有见过为讲究指挥工巧而使战争旷日持久的现象。战争久拖不决而对国家有利的情形，从来不曾有过。因此，不完全了解用兵之弊害的人，也就不可能真正认识到用兵益处。

　　善于用兵的人，兵员绝不再次征集，粮草不会多次运送。武器装备由国内取用，粮食饲料则在敌国补充，这样，军队的

◎虫兽纹铜臂甲◎

粮草供应就可满足作战需求了。

　　国家因战争而陷于贫困的一个原因，是向出征部队远程运送物资。远程运输必然导致百姓的贫穷。临近军队驻地的地区，物价必然高涨；物价高涨就会使百姓财富枯竭。国家财力枯竭，就必然导致加重徭役赋税的征用。军力耗尽，财力枯竭，国内便会出现十室九空，普遍的贫穷。人民群众的财产，将因战争而耗去十分之七；国家的财富，也会

由于车辆的损坏，马匹的疲病(罢，同"疲")，盔甲服装、箭羽弓弩、枪戟盾牌、车蔽大橹(蔽橹，攻城用的器具)的制作补充，辎重车辆的征调，而耗去十分之六。

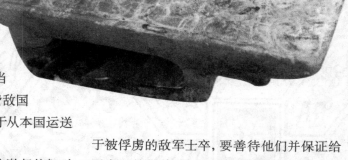

所以，高明的将帅总是力求在敌国解决粮草的供应问题。吃掉敌国的一钟粮食，相当于从本国运送二十钟粮食，耗费敌国的一石草料(萁，豆禾的秆)，等于从本国运送二十石草料。

要使士兵英勇杀敌，就应该激起他们对敌人的仇恨；要想夺取敌人的军需物资，就要对争先士卒进行物质奖励。所以，在车战中，凡是缴获敌人战车十辆以上的，就要奖励最先夺得战车的人，并且将被缴敌车换上我军的旗帜，混合编入自己的战车行列。对于被俘虏的敌军士卒，要善待他们并保证给予充足的供养，为我所用。这就是所说的战胜了敌人，也使自己更为强大了。

所以，用兵打仗贵在速战速决，而不宜旷日持久。

懂得用兵之道的将帅，是民众生死的掌握者，是使国家安危最重要的角色。

评点

"作"，有"制造"、"兴起"的义项。"作战"在这里并非指一般意义上的战争进行，而是说战争的准备，指具体的战阵之事开始之前的筹划发动，当属于"未战而庙算"的范畴。

战争，在某种程度上是敌对政治集团之间经济实力的较量。奥地利名将莫德古里曾说过："作战的第一要素是钱，第二要素是钱，第三要素还是钱。"话说得有些偏激，但道理却大体是对的。当今世界上，美国与以其为首的"北约"军事集团，对"不听话"的国家和政治力量，动辄便以武力相威胁，施以"军事打击"，一个重要的原因就是他们有着雄厚的经济实力做后盾，拿得出也花得起支撑现代化战争的昂贵军费。两千五百年

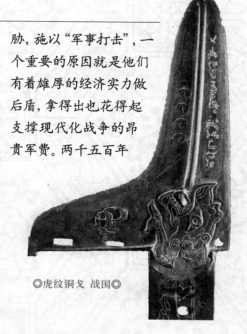

◎虎纹铜戈 战国◎

前的孙武已经清醒地认识到了战争对于经济实力的依赖,十分了不起。

孙武以动用十万之师为例,具体分析了用兵打仗对人力、物力、财力的消耗。战前准备阶段,从士卒的招募、训练,到武器、装备的制造准备,从内政、外交的开支,到后勤供应的费用,每天都要耗费数目巨大的资金("日费千金");战争进行中,武器、装备的维修补充,粮草及其他战争物资的远程运输,还需要大量的经费("百姓之费,十去其七","公家之费,十去其六")。如果没有强大的经济实力或者没有做好财力、物力的充分准备,当权者绝不可轻言用兵。俗云:兵马未动,粮草先行。物质条件是战争的先决条件。

发动战争(或被迫参与战争)都是为了谋求(或维护)一定的利益,通过战争而扩充疆土、巩固政权、占有资源、掳掠财物,或者争得有利地位、掌握主动权等,是有利可图的。但是,战争也有其有害的一面。人员的伤亡,财力的消耗,必然破坏经济,久战不决更会增加赋役,影响人民的正常生产和生活,最终导致国力枯竭、人民贫困("力屈财殚,中原内虚于家"),国运将难以为继。同时,持久用兵造成的不利局面,将为别的诸侯国提供乘虚而入的可乘之机,到那时,局面就很难收拾了。因此,用兵者仅仅看到战争的好处是不够的,更应该十分清醒地认识到战争的害处,并将有害的方面降低到最小的程度,从而使战争的好处增加到最大的可能。要达到"增利减害"的目的,关键是争取速战速胜,而不宜久拖不决。这里,对战争利害的认识,闪耀着朴素的辩证法的思想光辉,"速胜论"体现了孙武务实重利的朴素唯物论的思想特点。

需要说明的是,孙武极力倡导"速胜论",是从进攻一方的角度而言的,《作战篇》

从始至终说的都是在境外对敌国实行战略进攻，并没有包括、更没有否定在战略防御中，应该采取的相应策略。实行战略防御的一方，无疑可以采取持久抗击的战术，切不可急于求成；而实行战略进攻一方，主张速战速决，反对旷日持久，无疑是最好的选择，无可非议。孙武本人指挥的吴军破楚入郢的战斗，就是速战速决的很好范例。吴军在孙武指挥下，长驱深入楚地数千里，迂回至楚军背后由北而南攻击郢都，出其不意，突然袭击，很快

◎兽面纹玉带钩 战国◎

结束了战斗。然而此战隐含着极大的冒险成分。后世军事家指出，其时如果楚军及时封锁北部的三关要塞，吴军将处于被前后夹击、腹背受敌的被动地位。孙武尽管成功了，但战术运用并不稳妥，正如他所言："兵闻拙速，未睹巧之久也。""兵贵神速"，是孙武此战得胜的主要因素。

基于速战速胜的原则和对战争破坏经济的深刻认识，孙武进而对用兵者提出了两点要求：一是从战略上讲，努力使战争不要持久延续，"役不再籍，粮不三载"，以免造成财力枯竭、赋役加重、民不聊生的局面；二是从策略上讲，重视从敌国就地解决粮食供应和军需补充，"以战养战"，最大程度地减少本国经济力的消耗。

"以战养战"是孙武军事谋略中极具光彩的重要原则之一，是战争胜利的有效保证。"因粮于敌"，在敌国解决粮草供应，不仅可以减轻本国经济负担，而且消耗了敌国的财富资源，实际效益远远

◎错金铭文铜虎节◎

超过了粮草本身。"食敌一钟，当吾二十钟；萁秆一石，当吾二十石"，孙武在这里做了一个1：20的效益计算，充分说明"因粮于敌"的重要。事实上，有史以来交战国都重视"因粮于敌"原则的运用和变化。俄国实行全面坚壁清野，使远征达莫斯科城下的拿破仑无法"因粮于敌"，终于在饥寒交迫中败退而去。这一战例从反面证明了"因粮于

〇一九

敌"的重要性。

　　另外，强调重视从敌军中补充武器和兵员，化敌用为我用。鼓励士兵夺取敌人战车，用以武装自己；优待被俘的敌军士兵，不断补充自己的兵员。这样做，在补充自己的同时更削弱了敌人的战斗力，其效益与"因粮于敌"等同，甚至更大，因为优待俘虏还能产生瓦解敌人军心的作用。"以战养战"原则的正确运用，就可以造成越战越胜、越胜越强、越强则越胜的态势，形成良性循环而确保速战速胜。

　　"兵贵胜，而不贵久"，是基于战争对经济力量的依赖和战争利害关系的分析，得出的必然结论。然而，真正要做到"速胜速决"，成功地实施"以战养战"，实现"胜敌而益强"，关键的因素在领兵打仗的将帅。没有深知用兵之利害，正确执行既定方针的将帅，不仅不能速胜速决，反而有可能造成危局，使国家人民遭受巨大的灾难。因此，孙武最后特别强调了将帅的作用，"民之司命，国家安危之主也"。这在"五事七计"强调将帅"五德"和才能的基础上，有了新的拓展，使战前准备之"作"更为周密圆满。单从为文立言的角度而论，《作战篇》也是十分精彩的。

◎隋朝时期五牙战舰◎

《作战篇》关于战争对经济条件的依赖作用的揭示是深刻透彻的。自古穷兵黩武者，往往导致民穷财尽，引发内乱外患。隋炀帝远征高丽便是如此。

隋大业三年(公元607年)，好大喜功的隋炀帝要御驾亲征高丽国(今朝鲜国)。高丽国远离中国，征讨谈何容易！为征伐之需，隋炀帝命令天下富民买马给军队使用，又命各地守将检核武器，务求新美，一时天下人心惶惶。第二年又在河南和江淮赶造兵车五万辆，在山东沿海赶造战船三百艘，在江南征集水手一万人、弩手一万人、排鑹手三万人服役，命人、物及粮食辎重全部集中到河北涿郡。人马众多，道路阻隔，从夏天一直闹到来年春天，才勉强完成了人员物资的集结。当时，有部下婉言劝阻，建议选精兵快速进攻，突然袭击，以克敌制胜。但炀帝一意孤行，带着众多宫女，乘坐龙舟宝辇，率领二百万大军出征高丽。前军先行，后军跟进，大队人马用了四十天才完全离开涿郡。

浩浩荡荡的大军，带着大量的辎重缓缓前行，历时数月才到达辽水前线。疲惫不堪的隋军与高丽军首战便遭败仗。后改攻平壤，虽有小胜，却终于中计惨败，退回国内。接着又被高丽军用诈降之计大败于萨水一带，三十五万参战将士，退回辽东时仅剩两千七百余人。炀帝第一次东征高丽宣告失败。

◎弩 箭筒◎

◎车船(模型)◎

东征失败，隋炀帝不仅没有丝毫反省，反而于大业九年又一次征集天下兵马，御驾亲征高丽。在新城，隋军遇到高丽军顽强的抗击。久攻不下时，又改攻辽东城，高丽军坚守不出，隋军猛攻二十多天仍未能获胜。正当隋军进退维谷之时，由于连年征战，百姓痛苦不堪，各种矛盾急剧激化，各地豪强纷纷起兵反隋，农民起义接连爆发。国内政治形势突变，京都受到威胁。隋炀帝闻讯，急速撤兵高丽，回国应付内乱。御驾东征不仅又一次无功而返，而且为反叛者造成了可乘之机，终于导致了隋炀帝的被杀和以后不久隋王朝的灭亡。

这样的结局，在孙武的笔下描述得十分清楚，无奈昏庸的杨广不听圣贤之言，极不体面地给《作战篇》做了一次反证。

相比于隋炀帝杨广，南北朝时北魏太武帝拓跋焘就要高明得多了。

东晋末年，我国北方出现了众多少数民族建立的割据政权，其中就有鲜卑族的北魏和匈奴族的大夏。公元427年，北魏为了实现统一北方的目的，发动了对大夏国都统万城(今内蒙古白城子)的进攻。北魏在灭掉后燕之后，将攻击的矛头指向了大夏。公元426年，拓跋焘命大将奚斤率兵五万，进攻夏之蒲坂(今山西永济西)、进袭关中、长安，自己则率骑兵两万渡黄河袭击统万城。夏主赫连昌率军迎击，战败后退回城内固守。魏军亦不恋战久攻，而是分兵四处掠夺，得牛马十余万，民众万人而归，做了一次试探性的战略攻击。

这年十二月奚斤攻破长安，次年正

月，赫连昌派其弟赫连定领兵两万南下，企图收复长安，恢复关中。拓跋焘乘夏军兵力被牵制关中的有利时机，发十万大军再袭统万城。魏军原以三万骑兵为先驱，三万步兵为后继，三万步兵运送攻城器具。过黄河后，拓跋焘改变步、骑齐进的计划，决定以三万骑兵快速逼近统万城，然后诱敌出城，一举消灭。拓跋焘的战略有极大的风险，但他看到了步、骑齐进，不仅耗时日久，而且大兵压境，夏军必然据城坚守；统万城异常坚固，势必久攻不下。那时久暴师于敌国，食尽兵疲，又无可掠之物以充军需，必然陷于进退两难的困境。骑兵直驱城下，敌见步兵未到，自然轻视松懈，若再示之以疲弱，诱敌出战，必能一举歼敌。

魏军于是依计而行。六月，魏军行至统万城，将大部队隐蔽于城北山丘深谷，只派少数兵至城下挑战。夏军一面坚守不战，一面急调赫连定回军救援。两军陷于僵持状态。

　　恰巧，此时魏军中一犯罪士兵逃至夏营，声称"魏军粮食已尽，而辎重在后，步兵亦未到，宜速击之"。赫连昌听信了诳语，于是亲率步骑三万出城迎战。魏军为诱敌深入，初战即佯败退兵西北。夏军见魏军果然不堪一击，便大胆出城追击。拓跋焘在正面迎击的同时，将骑兵分作左右两队，绕道截断夏军后路，对夏军形成前后夹击之势。赫连昌虽拼死力战，终不敌魏军骁勇之师，率残部西逃。魏军乘势攻下了统万城，占领了大夏国都。不久，北魏军又攻克了上邽（今甘肃天水市），大夏国灭亡。

　　从拓跋焘对于攻打坚城的弊端的认识和为避免屯兵坚城之下而不能克、陷入困境的决策中，可以清楚地看到，出身于少数民族的北魏主，将孙武的军事思想作为自己指挥作战、克敌制胜的指导。正因为拓跋焘认识到了长途奔袭敌国的弊端，所以采取了诱敌出城的策略，抓住敌人援军未到的有利时机，以速战取得了战斗胜利。北魏拓跋焘攻破统万城之战，是运用孙子《作战篇》战略思想克敌制胜的成功范例。

◎《孙子·计篇》◎

邯郸之战

　　邯郸之战，可以看成是秦赵两国长平之战的一个延续。这时赵国的主力部队多数被秦军歼灭在长平战场，赵国当时的形势十分危急。

　　邯郸之战是决定赵国存亡的生死之战，秦赵两国均使出其浑身解数，力争取得战争的胜利。赵国在充分吸取了长平惨败的教训后，果断地采取防御，争取外援等一系列行之有效的措施，终于打败了秦国军队。秦军惨遭败绩的史实，也恰好印证了"兵贵胜，不贵久"这一作战理念的正确性。

　　长平之战，秦赵两军相持达三年之久，尽管最后秦军获胜，但元气大伤，内忧外患，处境十分艰难。因此，秦王否定了白起乘胜攻取邯郸的主张，决定休养生息，等待时机成熟，再谋统一大业。

◎嘉峪关◎

嘉峪关自古即是河西地方的军事重地。嘉峪关关城是明长城沿线建造规模最大最壮观的关城，同时它也是目前保存最好最完善的一座古代军事城堡。

　　赵国割让六座城池给秦国，成为了秦国撤兵的前提。但是秦国刚把军队撤走，赵王就变卦了，答应割让的城池也就成了一句戏言。这样一来，等于将秦国好好戏耍了一番。赵孝成王深知这样做的后果，于是积极备战，迎接秦军随时都有可能采取的报复进攻。

　　充分吸取了长平之战失败教训的赵孝成王，对外重视联络各诸侯，一同对抗强大的秦国；对内激发民众的爱国意识，积极备战，鼓励生产，以图使战后的经济能够得到快速地恢复，在外交上，赵国开展了三方面工作，一是与齐王商议合纵攻秦的计划；二是同魏国联盟；三是与楚国结好。此外又极力拉拢韩、燕两国。这样一来，在赵国的积极运作下，很快便建立起一个广泛且牢固的反秦统一战线。

秦昭王本来就因为赵国没有如约进献城池而心怀不满，再加上赵国和其他的几个国家组成了联盟，秦昭王便更是恨得不行。

公元前258年十月的一天，秦昭王派王陵率兵攻打赵国，秦军轻而易举地打到了赵国国都邯郸，并迅速地调集援军，将邯郸围住，打算将邯郸一举拿下。

眼看着秦国军队再次兵临城下，长平之战给赵国百姓留下的伤痛还没有抚平，心中的仇恨与日俱增，可想而知秦国军队遭受重创的结果便既在意料之外，又在情理之中了。

鉴于敌强己弱的客观态势，赵军在军事上制订并施行了一系列行之有效的措施，挫败了秦军速决速胜的企图。同时在坚守防御的过程中，有时也主动出击，派遣精锐部队不时地袭扰秦军，使得秦军的有生力量被一点点地吞食掉。秦军的杰出统帅白起准确地判断了形势，预计秦军无法攻下邯郸，所以拒绝担任攻赵的秦军主将，这样一来，秦国的军事实力便大打折扣了。秦军久攻不下邯郸，迫不得已而一再增兵换将，由王龁代替王陵，继续对邯郸发起新的攻势。秦国军队在伤亡惨重的情况下，攻打邯郸长达八九个月，但邯郸依然没有攻下。

赵国在固守邯郸的同时，还在外交上积极联络其他国家，使秦国逐渐处于被孤立的境地，让战争胜利的天平一点点地向自己的一面倾斜。魏国首先答应出兵增援救赵，楚王也派遣春申君率军北上前去救助赵国。

秦昭王得知赵与魏、楚"合纵"抗秦的事情后，终于沉不住气了，立刻派人前去威胁魏王："我们攻打赵国，倘若哪个诸侯敢去救援，等我们拿下赵国后，第一个对付的就是这个国家。"魏王生怕惹来日后秦国的报复，就命令主将晋鄙将十万大军屯驻在邺，远远地观望，不敢近前。

平原君见魏军停止前进，就不断地派专人到魏公子信陵君那去，请求他设法改变这样的局面。信陵君虽然多次前去劝说魏王，但魏王还是不肯下令进军。信陵君在万般无奈之

下用侯生的计谋，求助于魏王的爱妾如姬，终于偷到了魏王的虎符，杀死了不肯交出指挥权的老将晋鄙，夺得魏十万援军的指挥大权，选精兵八万人，赶赴邯郸。

公元前257年十二月，秦王除派军队屯驻汾城，又派将领郑安平率军前去增援，合围邯郸。与此同时，魏国和楚国的援军也恰好赶到，他们在邯郸城下大败秦军。这时候的邯郸城内，在平原君的挑选下组成了一支精锐部队，主动出击进行战术配合。秦军因为内外作战，终于力不能支兵败邯郸城下。

孙子在《作战篇》中指出："其用战也胜，久则钝兵挫锐，攻城则力屈。"在邯郸之战中，秦昭王只看到赵国在长平之战中元气大伤，而自己的力量又远远强于对手，忽略了赵国从长平之战中吸取教训，使秦国遭受少有的重挫。这段历史迄今值得我们去思考。

◎图右为世界最大的太极球◎
山东滨州惠民孙子兵法城虚实殿。该球采用优质青铜铸造，重达20吨，周长800厘米、直径250厘米，球体雕刻着太极图案。

 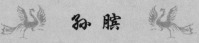

历代名将

孙膑

孙膑，相传是孙武的后代子孙，战国时期齐国著名的军事家。

相传，少年时的孙膑与庞涓同在鬼谷子处学习，孙膑显露的才华令老师鬼谷子十分欣赏，身为同窗的庞涓自然很是嫉妒。

后来，庞涓当上了魏惠王的将军，但他仍旧不能接受孙膑比自已强的事实，嫉贤妒能的心理与日俱增。终于有一天他找到了合适的机会，以同窗好友的身份将孙膑诱骗到魏国，并残忍地割去了孙膑的膝盖骨，所以后人都称他为孙膑。

出使魏国的齐国使者得知孙膑的遭遇后，将他悄悄带回齐国，成为齐国将军田忌的门客，后来被举荐给齐威王，成为了他的军师。

让人耳熟能详的"田忌赛马"的故事，至今仍会带给后人许多的启迪。著名的"围魏救赵"这一经典战例，便是他的精彩手笔，历来被兵家所效仿。孙膑及其弟子所撰的《孙膑兵法》，继承了孙武的军事思想，总结了战国中期以前的战争经验，给后人留下了一份珍贵的军事遗产。

谋攻篇第三

开篇

　　"谋攻"，即以谋略攻击敌人的意思。《谋攻篇》论述的就是用谋略攻敌制胜的战略战术，提出了"全胜论"的原则，以及实现全胜的具体策略，并用简洁鲜明的语言阐述了一个对所有战争具有指导意义的普遍规律："知彼知己，百战不殆。"

原文

　　孙子曰：凡用兵之法，全国为上，破国次之；全军为上，破军次之；全旅为上，破旅次之；全卒为上，破卒次之；全伍为上，破伍次之。是故百战百胜，非善之善者也；不战而屈人之兵，善之善者也。

　　故上兵伐谋，其次伐交，其次伐兵，其下攻城。攻城之法，为不得已。修橹轒辒，具器械，三月而后成，距闉，又三月而后已。将不胜其忿而蚁附之，杀士卒三分之一而城不拔者，此攻之灾也。

　　故善用兵者，屈人之兵而非战也，拔人之城而非攻也，毁人之国而非久也，必以全争于天下，故兵不顿而利可全，此谋攻之法也。

　　故用兵之法，十则围之，五则攻之，倍则分之，敌则能战之，少则能逃之，不若则能避之。故小敌之坚，大敌之擒也。

　　夫将者，国之辅也。辅周，则国必强；辅隙，则国必弱。

故君之所以患于军者三：不知军之不可进而谓之进，不知军之不可退而谓之退，是谓縻军；不知三军之事，而同三军之政者，则军士惑矣；不知三军之权，而同三军之任，则军士疑矣。三军既惑且疑，则诸侯之难至矣，是谓乱军引胜。

故知胜有五：知可以与战不可以与战者胜，识众寡之用者胜，上下同欲者胜，以虞待不虞者胜，将能而君不御者胜。此五者，知胜之道也。

故曰：知彼知己，百战不殆；不知彼而知己，一胜一负；不知彼，不知己，每战必殆。

译文

孙子说：衡量战争取胜的一般原则是，以能使敌国完整无损地降服于我为上策，而攻破敌国使其残缺受损便略逊一筹了；能使敌人一军(12500人为一军)将士完整无缺全员降服为上策，而用武力击溃敌人一个军便略逊一筹了；能使敌人一旅(500人为一旅)将士完整无缺全员降服为上策，而用武力击溃敌人一个旅便略逊一筹了；能使敌人一卒(100人为一卒)官兵全员降服为上策，击溃一卒兵众就差一等了；能使敌人一伍(5人为一伍)士卒全员降服为上策，击溃一伍士卒就差一等了。所以，百战百胜，虽然高明，但不是最高明的；不用武力进攻就能使敌人降服，才是高明之中最高明的。

所以说，用兵作战的最高追求是用谋略战胜敌人，其次是运用外交手段取得胜利，再次是用军事手段去夺取胜利，攻打敌国城池是最差的选择。采用强攻城池的战术，是不得已而为之。要攻打敌人城池，制造攻城用的大盾牌和大型战车，准备好各种攻城用的器具，需要数月才能完成；堆筑攻城用的小土山，又需要几个月的时间才能结束。然后，将领难以抑制自己的愤恨，驱逐士兵像蚂蚁一样爬云梯攻打敌城，结果可能是士兵死伤三分之一，而敌城还是未能攻破。这是攻城可能造成的灾难。

所以，善于指挥战争的人，降服敌人的军队却不是通过战场厮杀的方式，夺取敌人的城池却不用强攻的手段，毁灭敌人的国家，也不需要旷日持久的征战讨伐。他们务求用完整全面的胜利而争雄于天下。这样，自己的军队不致于疲顿折损，而胜利已经圆满完整地获得了。这正是以谋略克敌制胜的基本准则。

因此，用兵打仗的战术方法是，我方的兵力十倍于敌人时，便把敌军围困起来（加以聚歼或威逼其投降）；我军的兵力五倍于敌人时，便对敌军发起猛烈攻击；我军的兵力二倍于敌人，就要设法将敌军分散，以优势兵力各个击破；敌我双方的兵力相当时，可以与敌交战，我军兵力比敌军少时，就应该设法摆脱敌人；我军的实力不如敌人时，就应该尽量避免与其交战。因为，弱小的军队如果固守硬拼，就必然被实力强大的军队制服擒获。

将帅是国君的辅佐。辅佐得周详严密，国家就必定强盛；辅佐得有缺陷漏洞，国家就必然衰弱。

国君给军事行动造成灾祸的情况有三种：不了解军队不能够进攻而命令军队进攻，不了解军队不能够撤退而命令军队撤退，这说的是对军队的束缚；不懂得军队的管理，而干预军队的管理政务，就会使将士们困惑不解；不懂得军队作战的权宜机变，而参与军队的指挥，就会使将士们疑虑重重。全军上下既迷惑不知所以，又疑虑不明就里，各诸侯国乘机进犯的灾难就会到来了。这就是所谓的自乱军队，而招致敌国取胜。

所以，要预测胜利必须有五个条件：清楚地知道什么情况下可以与敌作战，什么情况下不可以与敌作战的，能够获胜；懂得根据兵力的多少而采取不同战略战术的，能够获胜；将帅与士兵同心同德、同仇敌忾的，能够获胜；以充分周密的准备去对付毫无准备的敌人的，能够获胜；将帅有组织指挥才能而国君不加牵制的，能够获胜。这五条，是预测胜利的方法。

所以说：既了解敌方情况，又了解我方情况，便能百战百胜不会有失败；不了解敌方情况，只了解我方情况，胜败的可能均等；既不了解敌方情况，又不了解我方情况，那么，每次战斗都注定会失败。

◎镂空蛇纹鞘青铜短剑◎

评点

　　战争的理想境界，无非是以最小的代价换取最大限度的胜利，最大限度地消灭敌人，最大限度地保存自己、扩张自己、强大自己。孙武正是从这个角度上，以"不战而屈人之兵"作为战争胜利的最高理想（"善之善者也"），而提出了著名的"全胜"观观点。"全"，在中国传统文化中是一个很高的标准，它要求对象的完整、完满、完美，应该无瑕无疵，无可挑剔。孙武这里所说的"全"，在具体运用上也有表示诸如全部、保全、完全等意义的时候，但贯穿的思想精髓则是追求一种高的境界和高的层次，追求战略战术的完美。

　　孙武首先用以谋略胜敌和以武力攻敌两种取胜方法做比较，确凿地提出以"全"为上、以"破"为次的观点。使敌人完整全部地屈服，同时又能保全自己而不受损失，是最理想的，即"不战而屈人之兵"、"屈人之兵非战也"，才是"善之善者也"。反之，用武力击破敌人，虽然取得了胜利，但自己也不可避免地受到了一定的损失（"日费千金"、"杀士卒三分之一"及耗时费力等），所以不是最理想的结果，"非善之善者也"。既能获得完全的胜利，又能很好地保全自己，最大限度地得受用兵的好处，这才是孙武所说的"全"（"必以全争于天下，故兵不顿而利可全"）。"全胜"是孙武军事谋略的一条指挥原则，是"谋攻"的出发点和核心内容。

　　那么，如何实现所谓的"全胜"呢?孙武从四个方面具体地进行了分析论述，提出了相应的战略战术。

　　第一，以谋略取胜为上。孙武将军事行动的几种手段做了比较，认为首选的方法是"伐谋"，用高超的谋略打破敌人的战略企图；其次是"伐交"，用外交手段战胜敌人，这样就能不战而胜，"兵不顿而利可全"。至于"伐兵"，战场交锋，兵刃相见，必然会有人员伤亡和财物消耗，虽可获胜但离全胜已有相当距离，因而与前二者相比就等而下之了。最差的是被迫"攻城"，即使能胜，也由于伤亡巨大而得未必偿失，更何况还可能久攻不下而酿成灾难。"非战"、"非攻"、"非久"而胜，应是"谋攻"的准则。

　　第二，设若被迫采取"伐兵"之法，则应根据敌我双方的力量对比，采取灵活机动的战术，或尽快结束战斗，争取战争胜利的最大值；或尽量保全自己，把战争损失降低到最小程度，并告诫人们，切不可在处于劣势时意气用事，死守硬拼，以免遭灭顶之灾。

◎东汉 彩绘陶俑◎

第三，正确发挥国君和将帅的作用。将帅作为国君的辅佐，在军事行动的筹划和实施过程中，要做到周详严密，万不可有缺陷漏洞。而君主的瞎指挥，必然导致军队自乱而给敌人以乘隙取胜的机会，从反面说明了君主对将帅的指挥不应该乱加干涉。

第四，准确了解敌我双方的真实情况，从实际出发制定自己行动的策略，以确保每战必胜。孙武从"全胜"出发，提出"知胜之道"的五个方面和"知彼知己，百战不殆"的著名论断，特别强调了"知"在用兵过程中的重要作用。如果没有对实际情况的详细、准确、全面、深入的了解，就不能做出周密严谨、切合实际、行之有效的筹划谋略，要想获得胜利，便只能是痴人说梦，异想天开。

一篇《谋攻篇》，由"全胜"始，至"知彼知己"结束，以"谋攻"之术贯穿全文，本身就是谋的很好范例——不过，这里的谋，指的不是预谋打仗，而是谋篇布局的为文之道。全文处处言兵，却字字珠玑，极富文采。大量的排比句连珠而出，排比间意义递进(或递减)的变化、结论得出的水到渠成，以及正反杂陈的强烈对比，都使文章极具说服力和逼人的气势。《谋攻篇》不仅是兵法之瑰宝，同时也不失为文学之精品。

当然，《谋攻篇》的主要价值，还是它对指导战争的普遍规律的揭示。千百年来，有无数战例在反复证明着孙武"全胜"思想的正确和"谋攻"战略的现实指导意义。

战国时，齐国名将田单在即墨之战中，曾用火牛阵大破燕军，收复失地七十余城。公元前279年，田单出兵攻打狄邑。行前，齐国著名谋士鲁仲连断言此战难以取胜。果然，田单发兵至狄邑，围攻三月，狄邑仍不能攻下。田单醒悟过来，去请教鲁仲连。鲁仲连说：将军攻即墨时，虽贵为主帅却坐与士兵一起编织草袋，站与士兵一起拿锹干活。将军有必死的决心，士兵也有为将军而死的决心。上下同心，打败燕军便是必然的。而今将军锦衣玉食，高高在上，已无昔

◎扣饰◎

正面为圆形牌，内凹似浅盘形，正中镶嵌红色玛瑙，其外分作三圈，皆镶绿松石圆片；背面正中部铸有可供佩挂的矩形齿扣；周边有一圈鎏金透浮雕小猴，首尾相接，形象生动，富于情趣。

国学一本通

孙子兵法

○三二

日决死的雄心，不能取胜自在情理之中。田单深受震动，返回前线后，好像换了一个人，亲自考察狄邑城防，站在阵前为士气擂鼓助威，不避敌人飞羽流石，与士兵一起冲锋陷阵。于是，士气大增，很快便攻破了狄邑，得胜而归。田单先败，败在上下不同心；田单后胜，胜在与士兵同安危、共患难，"上下同欲"。

东汉末年，公元184年，黄巾农民起义军将都昌城围得水泄不通，守城主帅孔融与黄巾军多次交战，均被管亥打败，便命太史慈出城去讨救兵。要在黄巾军的铁壁合围中逃脱，实非易事，太史慈冥思苦想，终得一计。那天拂晓，都昌城门大开，太史慈带两名骑士大模大样出得城来。黄巾军立即将情况报告给主帅管亥，同时进入紧张的临战状态。但见太史慈三人来到城边堑壕，竖起靶子，开始练习射箭，不久便返回城中。第二天一早，太史慈又如法炮制。围城的黄巾军见状，已没有了第一天的紧张，放松了戒备观看太史慈射箭。太史慈练完回城，两军相安无事。等到第三天出城练箭时，黄巾军已不再注意太史慈了，不少士兵甚至干脆躺在地上闭目养神。突然间，太史慈三人翻身上马，猛加几鞭，以迅雷不及掩耳之势冲向黄巾军阵地。当农民军发觉情况不妙，准备拦击时，太史慈与两名士兵早已冲出包围，无影无踪了。太史慈很快搬来救兵，都昌之围遂解。"少则能逃之"，太史慈设计三人突重围，关键是一个"能"字，而"能"正是"谋"的内容与结果。

战国时魏国大臣乐羊率军攻打中山国，因乐羊之子舒是中山重臣，故朝中对乐羊是否能尽心尽力为国效忠议论颇多。当乐羊根

据实际情况对中山采用围而不打的战术、一连几月按兵不动时，弹劾乐羊的奏章雪片似的飞到了魏文侯手上。魏文侯对乐羊深信不疑，不仅派专使远道去犒劳乐羊，而且大兴土木为乐羊建了一座别墅。终于，乐羊按计划攻克中山国，得胜回朝。魏文侯为乐羊庆功，并将弹劾的奏章作为礼物送给了乐羊。乐羊是幸运的；如果没有国君的充分信任，不仅中山之战不能胜，而自己的性命也难保。魏文侯是高明的：用人不疑，疑人不用，也不横加干涉瞎指挥，正所谓"将能而君不御者胜"。

唐王朝开国之初，游牧族东突厥屡犯中原，高祖李渊一时无计可施，有可能被迫迁都。秦王李世民反对迁都，请兵出征讨伐。当时东突厥颉利、突利二可汗率兵袭扰关中，李世民率兵至凉州一带与其对阵。东突厥有万余骑兵，而唐军不过数百，力量悬殊，列阵厮杀显然不能取胜。李世民仅带骑兵一百，来到阵前，对颉利可汗说："我们已与你们可汗结盟，今日为何违约来犯？如果你们可汗真有本事，就请可汗与我李世民一人来决战。如果派兵攻打，我这百名士兵将拼死迎战，决不后退。"颉利见李世民如此镇定威严，恐唐军另有埋伏，一时不敢向前。李世民又派使者质问突利可汗："你以前与我们有盟，今日出兵袭扰，为何不守信用？"突利自觉理亏，一时竟无言以对。颉利见李世民如此大胆，得知唐使者对突利的质问后，又疑心突利与李世民私下有联系，便下令军队后撤，暂缓行动。

◎双剑和铜鞘◎

此时阴雨绵绵，唐军粮草供应受

阻，士兵疲惫，又面对强敌，情况十分危急。李世民了解到突厥军弓箭因雨受潮，士气开始低落的情况，决计突然袭击打退突厥。唐军于室内烧火煮饭，烘干兵器，趁雨夜突袭敌营，东突厥惊慌失措，加之兵器不利，战斗力几乎完全丧失，大败而退。李世民也不追击，而是派人向突利可汗晓之以利害。突利见状，只得与唐军和解，退兵而去。李世民采用攻心为上、离间分化的战术，辅之以突然袭击，化不利因素为有利因素，终于使东突厥猜不透唐军虚实而撤兵退去。"不战而屈人之兵"，李世民靠的是大智大勇，知彼知己。

张仪计屈四国，是"伐谋"的典范。战国时七国争雄，苏秦合纵、张仪连横，二人凭三寸不烂之舌，穿梭于七国之间，斗智斗谋，对七国争斗形势影响甚大。苏、张是同学，但主张相反。苏秦合纵失败后，张仪连横却获得了很大成功，曾一度先后不战而屈四国之兵。张仪的连横，主要是用以强慑弱的手段，游说六国共同事奉秦国。连横计的成功，从降服魏国开始。秦国为破坏六国合纵，曾答应给魏国不少好处，合纵破产后，张仪献计秦惠王，不再履行诺言。魏国对秦国失信十分恼怒，派人前来质问。秦国借机进攻魏国，一举攻下魏重镇蒲阳城。此时，张仪劝阻秦王不要继续进攻，反而献计归还蒲阳城，并派公子繇留在魏国做人质，以表示愿与魏世代友好的"诚意"。打了败仗的魏王对此感激不已。张仪乘机出使魏国，威迫利诱，要求魏王报答秦国之恩，许之以秦国击败其他国家后将十倍地偿还的条件，迫使魏王自愿割地议和。从此，魏国便归附了秦国。

魏国归附后，张仪又到了楚国。当时楚国与齐国两个大国联盟，对秦国构成极大威胁。张仪首先收买了楚国佞臣靳尚，通过靳尚顺利见到了楚怀王。张仪单刀直入提出秦楚修好的建议，并通过恭维奉承探知怀王对秦确有所畏惧，于是乘虚而入，施展辩才。先力陈秦与齐联盟，则大不利于楚；若与楚联盟，则可使楚势力迅速强大。继而指出秦不愿与齐国联盟，因为齐曾有负于秦。最后许诺，若秦楚修好，秦愿将先朝攻占的商於之地六百里归还楚国，同时送秦国美女给楚王做妾。楚怀王被张仪说动了心；在靳尚的怂恿下，不顾陈轸、屈原等大臣的反对，同意与齐国绝交，与秦国结盟。

齐国见楚国背信弃义，便派使臣到秦国要求结盟，共伐楚国，秦国也答应了。齐楚交恶，张仪便矢口否认对楚国的承诺，并说怀王将六里错听成六百里。盛怒之下，失去理智的楚怀王贸然起兵伐秦，几个回合下来便大败而去，丧失了关中地区六百里。此时，韩、魏为讨好强秦，也落井下石，出兵袭击楚国。无奈之中，楚怀王派使者到秦营，愿意再献两城而罢兵求和。秦惠王依仗强兵压境，坚持要汉中之地才肯罢兵。走投无路的楚怀王，只得将汉中忍痛割让给秦国。这时，张仪又献计只取汉中一半之地，并主动与楚国联姻。恩威并用，终于使楚国"心甘情愿"臣服于秦国。

制服了楚国，张仪便来到齐国，张仪以秦楚联姻，势力更加强大，韩、赵、魏三国争着献地事奉秦国为条件，威胁齐王：假如秦国要韩、魏攻击齐国南部边境，赵国横渡黄河攻击齐国侧面，那时，您就是想事奉秦国，恐怕也为时已晚了。张仪的形势分析，使齐王不寒而栗，连忙答应事奉秦国。

接着，张仪向西到了赵国，对赵王说：我们秦王率大军愿与你会战于邯郸城下，特派我来通知你。现在，秦楚联姻，齐国奉献鱼塘之地给秦，韩魏自称是秦的东藩之臣。你想以赵国一国之力对抗五国之兵，恐怕要灾祸临头了。赵王闻言胆战心惊，也答应与秦结好，事奉秦国了。

离开赵国，张仪又北上燕国。张仪对燕昭王说：您最亲近的莫过于赵国。但赵国将与自己联姻的代国都灭了，连赵襄王的姐姐也做了牺牲品，还会在乎别人吗？现在，赵国已献地事秦，有朝一日，秦王驱使赵国攻燕，那么，易水、长城都将不会再归燕国所有了。一番话说得燕昭王毛骨悚然，恐惧不已，自愿献出五座城池与秦国讲和。

如此这般，张仪不费一兵一卒，未动一刀一枪，先后降服了楚、齐、赵、燕四国，连同早

先制服的魏国，奠定了秦国在诸侯国中的领导地位，成
为当时的第一强国。

　　张仪计屈五国是以秦国强大的军事实力为后盾的。如
果没有强大的实力，威胁利诱便不能奏效，你说的话
就无人听，听了也不信，所谓"弱国无外交"是也。
当然，其中也有张仪的智谋，其智谋主要地表现在
"知彼"和"因利而制权"。了解当时的整体形势和各国
尤其是君主的具体情况，瞅中他们的要害一语中的，迅速打乱对
手的心理防线。同时，对不同的对象采用不同的策略，或以强力威
胁，或以利益引诱，或恩威并用，相机而动，因势利导，挑拨离间，
无所不用其极。张仪的手段有的极不光彩，不那么光明磊落，因而
被屈原骂作"小人"。但张仪游说的结果却是于秦国有大利益的，
我们虽不一定效仿其言其行，但也不必用道德对张仪做出简单的
否定。

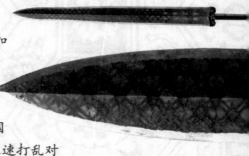

◎青铜剑◎

战例

城濮之战

　　城濮之战发生在我国春秋时期，是晋楚两国的一场争霸之战，对
当时的争霸形势具有重大而深远的影响。

　　位于南方的楚国势力逐渐强大起来，根本不把周天子放在眼里，
它的国君也自称为王，大有与天王相抗衡的意思。到了楚成王晚年，他
有意向北方扩展势力，先是降服了蔡、郑、许、陈四个小国，又派使臣让
宋国归服，向他缴纳贡赋。宋成公认为自己是中原古国，没有向南蛮之
国屈服的道理。楚成王为了显示大国的威力，就在鲁僖公二十七年(公
元前633年)冬天率领蔡、郑、许、陈四国的军队攻打宋国，把宋国的都
城包围起来。宋大夫公孙固受宋成公委派赶往晋国求援，请求派兵解
围。

　　晋文公急忙召集群臣商讨应对之策。大夫先轸说："宋国是我们的
友邦，国君当年作为公子流亡在外经过宋国的时候，宋襄公对您不但
热情款待，还赠送马匹，现在我们理应报答人家的恩惠；我们既然也效

◎战国 玛瑙雕云纹勒◎

法齐桓公'尊王攘夷',解救宋国的危难,就是我们当仁不让的责任。能否取得在诸侯中的威望,完成国君梦寐以求的霸业,就在此一举。当务之急便是迅速调集军马,准备出征。"

晋文公点了点头,赞同地说:"先轸大夫说出了我的心里话,我是准备击破楚军,解除对宋国的围困,但是我们应当先从哪里着手呢?"

大夫狐偃坐在那里已经想了半天了,站起身来胸有成竹地说:"楚国最近刚刚收服了曹国,新近又从卫国娶了妻子,两国有了婚姻这层关系。我们如果先去攻打曹国、卫国,楚国必定赶去救援,那么宋国和齐国被包围的局势自然也就得到了解决。"齐国也曾在去年受到楚国的威胁,而齐国和晋国是友好国家,所以狐偃提出这样一个一石二鸟的计策。

◎画像石◎

晋文公和众大夫都认为先攻曹、卫,以解宋围是最好的解决办法,就开始扩大军制,检阅兵威。晋国原来只有两个军,现在为对付强大的楚国,就又增加为三个军。晋文公又和大夫们商量三军主帅的人选。大夫赵衰说:"我推荐郤縠,他有德行,讲礼仪,这是取得利益的根本。国君不妨试用一下。"

◎镶嵌十字纹方钺◎

于是晋文公任命他为中军主帅,让郤溱辅佐他;任命狐偃为上军主帅,狐偃认为弟弟狐毛比自己更有军事才能,让狐毛担任主帅,自己辅佐他;任命栾枝为下军主帅,让先轸辅佐他;任命赵衰为正卿,负责粮草的供应。晋文公亲自担任三军的总指挥,让大夫荀林父为自己驾驭战车,让力大勇猛的魏武子担任车右。

第二年春天，一切准备就绪，就先攻打曹国、卫国，这两个小国不堪一击，很快便被占领了。

楚国曾派兵去救援卫国，但是没能取胜。晋文公连占两国，军威大壮，就派使臣前往楚军，请求楚军主帅子玉解除对宋国的包围。

子玉是一个骄横狂妄的人，说是一定要灭了宋国，不仅不撤兵，还要加紧攻城。宋国岌岌可危。

宋成公又一次派使臣赶往晋军中报告紧急情况。晋文公召集军众将领在阵前召开会议，研究对付楚军的办法，晋文公说道："宋国又来告急，我们该怎么办？我们原来以为攻打曹、卫两国，楚军会不战而退，可他们现在非要攻破宋国不可。我们想作战，但是我们的盟国齐国、秦国不同意，他们怕因此挑起诸侯间的大战，你们说说我们该怎么办？"

先轸说："让宋国撇开我们，直接给齐国、秦国馈送厚礼，让他们两国前去请求楚国解除对宋国的包围。我们再把曹国、卫国的田地划给宋国，而楚国与曹、卫两国的关系一向很好，提出这样的条件两国一定不肯接受齐、秦两国的请求。齐、秦两国接受了宋国厚礼，必然对楚国的固执生气，这场战争还能打不起来吗？"

楚成王见晋、秦、齐三国本来就国力雄厚，现在又联合起来要求自己退兵，就自己亲自统率的军队撤到方城，又让子玉撤离宋国，解除包围，派人告诉他："千万不要和晋国的军队交锋，他们很强大。晋文公流亡在外十九年，什么艰难险阻都尝过了，民情的真伪也都知道了。他回到晋国后，就用道义教导百姓，使百姓安于生计，又让百姓讲求信用，百姓做买卖就不贪图暴利，公平交易。他巩固了周天子的君位，赶走了作乱的狄人。这样的人能一下子战败他吗？兵法上说"适可而止"，又说"知难而退"，还说"有德的人不能抵挡"，你还是尽快撤兵吧。"

子玉接到楚成王的命令，并不想马上退兵，他想总得教训一下晋文公。他想起了当年晋文公流亡到楚国时，表现出的野心勃勃和桀骜不驯。当楚成王问他假若晋楚两军相遇，他采取什么态度，他竟敢说那就尽管交锋，只是可以"退避三舍"（退让九十里，一舍等于三十里）。当时子玉听了这些话，就建议楚成王杀了他，以绝后患。现在楚成王竟让自己避开这个家伙，他怎么能够甘心呢？就对将士们说："只要你们拼力杀敌，攻破宋国都城便指日可待，倘若现在退兵，那不是功亏一篑吗？"

于是子玉一面派兵加紧攻打宋国，一面派人向楚成王请求不要撤军，并要求给他派来增援部队："请君王允许我击破宋国再收兵，我想灭掉晋文公的嚣张气焰，让他以后不敢藐视楚国。"

子玉之所以不肯撤军，其实还有别的想法，他想借此机会显示一下自己的才能，好堵住有些人的嘴巴。楚成王在准备包围宋国的时候，令尹（相当于相国）子文推荐子玉为主将，大夫茍贾批评子文，说他把大权交给子玉是错的，子玉刚愎而无礼，不能让他治理百姓，他若是率领三百辆兵车，恐怕就回不来了。如果子玉失败，就是您的错。子玉想到这些，就非要争这一口气。

楚成王听子玉不仅不肯马上收兵，反而要求增加部队，非常生气。但是他很快平静下来，觉得子玉不退兵也是有道理的。其实他也不希望晋国称霸中原，妨碍自己北进。于是就给子玉派去了一百八十辆战车、一万三千五百个士兵的部队。

补充了生力军的子玉，又对宋国发起了猛攻，但还是久攻不下。于是他决定改变策略，希望能够通过私下与晋文公和解，为自己撤围挽回一些颜面，于是派遣大夫宛春到晋军中会见晋文公："请贵君恢复卫成公的君位，退还曹国的田地，我就解除对宋国的包围。望贵君三思。"

狐偃对晋文公说："子玉这小子也太无礼了。您是国君，他给您的条件仅是解除围宋一项，他要求您的却是将复卫封曹两项做为

◎玉璧◎
玉璧，指肉径大于中间好的扁圆形环状玉器。所谓"肉"是指璧体，"好"是指中间的圆孔，《尔雅》记述："肉倍好，谓之璧；好倍肉，谓之瑗；肉好若一，谓之环"。

如私下派人告诉卫国、曹国君主,晋国准备恢复他们的君位,来离间他们与楚国的关系。再把宛春扣留起来以激怒子玉,子玉一定会率军攻打我们,对宋国的围困也会自动解除。"

晋文公认为此计可行,就在卫国找了个地方把宛春囚禁起来。曹、卫两国得到确切消息后,便宣布与楚国绝交。这时郑文公也派人召回了自己的军队。郑国原来迫于楚国的压力,派军队随楚军助战,后来看曹、卫接连被击破,子玉又久战不胜,怕晋国也来攻打自己,就派使臣到晋军中会见晋文公,希望能与晋国讲和。晋文公也不想树敌过多,此事一拍即合,双方订立了盟约。

子玉听到这件事后,大发雷霆,认为曹、卫、郑三国变心全是因晋文公而起。扣留使臣,更是岂有此理。立即传令,把军队全从宋国都城撤下来,准备与晋军决一死战。

子玉让士兵摇旗呐喊,大张声势,向晋军杀来。晋军个个立功心切,斗志旺盛,士兵们期盼已久的这一天终于来到了,只等着国君的一声令下。晋文公看到楚军的军队已经逼近,反而下命令说:"全军撤退,不准接战!"

将士们全都迷惑不解,战前鼓励我们奋勇杀敌,临阵却又让我们撤退,莫非是国君看楚军来势汹汹,有些胆怯了。一个军吏壮着胆子问道:"您是国君,子玉是臣下,国君躲臣下,难道不是耻辱吗?再说楚军长期在外作战,军士已无心恋战,正是天赐良机,为什么不进攻,反而撤退呢?"

狐偃解释说:"出兵作战,理直气就壮,理曲气就衰,并不在于在外的时间长短。当

交换条件,决不能答应。必须和他交战。"

先轸说:"先答应他,让他把进攻宋国的节奏放缓。现在子玉一句话就可以安定宋、卫、曹三国,我们如果不答应这个条件就会使它们灭亡。这样一来,我们的敌人就多了。不

◎铜矛◎

年楚成王对我们国君有过恩惠，曾答应过他如果两军交战，我们要退避三舍，作为报答。背弃恩惠，说话不算数，我们就理曲，楚国就理直。如果我们退兵，他们仍旧追赶，这样一来，楚国就理曲了。那时我们回师反击，自然也就理直气壮了。更何况，楚军连年征战，已经灭了周边的不少国家，军队有着丰富的作战经验。他们的主帅子玉已被我们激怒了，正憋着一肚子气，而兵卒士气正饱满，并未衰竭，万万不能掉以轻心。我们后退，正是要观察一下楚军的虚实，以利于采取正确的对策，应对来犯之敌，这不能看成是我们国君害怕敌人，而是在履行自己的承诺。"

狐偃对敌我双方的状况分析得十分透彻，将士们无不在心中暗自称赞。在狐偃的指挥下，晋军很有秩序地撤退，即便是撤军队列也保持得整齐有序没有一点凌乱。子玉尾随在后，命士兵紧追不舍。晋军一连退了九十里，兑现了"退避三舍"的承诺，就在卫国一个名叫城濮的小城镇驻扎下来，严阵以待。

楚军将士见晋军退了九十里，怕此时有蹊跷，就建议子玉停下来。

子玉坚决不同意，说道："我们应乘胜追击，溃败之兵哪有不追的道理？"

这时晋文公、宋成公、齐国派来领兵的人都聚集到了城濮，共同商讨如何对付子玉。

子玉来到阵前，见晋、宋、齐、秦四国的军队军容整肃，未敢轻举妄动，就选择了一个背靠丘陵的险要地方，深沟高垒，安下营来。

晋文公看到子玉靠山扎营，易守难攻，有些担心。狐偃对晋文公说："国君出战吧！获胜，这些诸侯就都归服您了；就算输掉这场战争，我们外有黄

河，内有高山，回去退守对我们也不会有多大的影响。"

"可是我们怎么处理楚国曾给予的恩惠呢?"晋文公有些不决。

下军主帅栾枝说:"汉水以北和您同族的姬姓诸国，都被楚国吞并了，不能老想着小恩小惠，还是下令出战吧!"

晋文公又讲述自己昨夜的梦:"我梦到和楚成王搏斗，成王骑在我的身上，还吞吃我的脑子，这个梦让我想想都有些后怕。"

狐偃说:"大吉大利。国君您面向天，那是得到了上天的首肯;楚王面朝地，说明他的罪惹怒了上天。"

听到了狐偃的话晋文公不再犹豫，传令做好出战的准备。子玉安好营寨，派大夫斗勃到晋军请战:"请和国君的斗士作一番角力游戏，臣下将陪国君一同观看。"

晋文公派栾枝前去说:"敝国国君领会了你们的意思。楚君的恩惠不敢忘记，所以退避三舍。您作为臣下，难道还敢抗君不成?倘若您不肯退兵，您就通知您的部下，做好准备，明天早晨再见吧!"

晋国摆开了七百辆战车，晋文公登上一座经历过战火洗礼的城墙检阅军容，见军容整齐长少有序，便说:"可以决战了。"他又命令士兵砍伐山上的树，当作武器。

第二天，天刚刚亮，晋大夫胥臣统率下军抵挡陈国、蔡国的军队，他们属于楚国的右军，右军由斗勃统帅。胥臣在头一天夜里就让士兵给战马蒙上老虎皮，一声令下，凶猛地冲杀出来。陈军、蔡军从未见过这种阵势，被战车冲得七零八落，掉头奔逃，楚军的右翼部队全线溃败。狐毛派出前军的乘胜追杀溃散的楚军。栾枝让统率的下军战车后面都捆上树枝柴草，假装逃跑，弥漫天际，楚军以为晋军溃逃，急忙出动大军追击。不料，原轸、漆率领中军的禁卫军从半路杀出，截击楚军，栾枝又掉转车头回身杀过来，楚军遭到突然袭击，被打得晕头转向，一时间尸横遍野。狐毛、狐偃弟兄二人统上军，从两面夹击楚将子西率领的左军，战鼓震天，杀声震天。子西早已乱了阵脚，楚军的左翼部队也全线溃散，士兵死伤无数。子玉统率新补充的一百八十辆战车及步

卒做为中军，他压住阵脚，见两翼部队全部溃败逃散，急令鸣金收兵，退回营内，坚壁严守，才没有遭受全军覆没的下场，侥幸保住了性命。当夜，子玉悄悄地拔营起寨，偷偷地撤离了战场，轻装回国，丢下了大批的辎重和粮草。

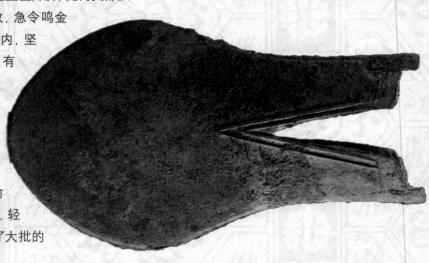

◎铜钺◎

晋军休整了三天，吃楚军留下的粮食，用他们的粮草喂马。然后押着俘虏和缴获的大量物品回国去了。

城濮之战是春秋时期最大的一次战役，以晋胜楚败而告终，这场战争奠定了晋文公霸主的地位。

晋文公带着缴获的胜利品——一百辆战车，一千名步卒，向周天子献俘。周天子用最隆重的礼仪接待他，让太宰和内史用诏书诏告天下，命晋文公为诸侯的领袖，并赏赐给他天子乘坐的车辆以及相应的服装和仪仗，对他郑重地说道："你今后要恭敬地服从天子的命令，以安抚四方的诸侯，惩治王朝的邪恶。"晋文公叩头谢恩，恭敬地接受了诏书和赠品，风风光光地离开王都，回国去了。

子玉来到楚国边境，没敢回方城见楚成王。楚成王派人责备子玉说："楚国的子弟死亡无数，你回来怎么向楚国的父老交代呢？"

斗勃向楚成王派来的人说："子玉早想自杀，是我们阻止了他。我们告诉他，君王还要杀死你呢。"当夜，子玉翻来覆去难以成眠，深感无颜见君王，也无颜见楚国父老，就拔剑自刎了。

楚成王反复思考，觉得让子玉独挡一面，自己也有责任，派使臣去制止子玉自杀，但是已经晚了。斗勃正在上吊，恰巧绳子断了。这时正好使臣赶来，斗勃被免去一死。

这年冬天，晋文公召集鲁、齐、宋、蔡、郑、陈、莒、邾、秦等国国君在晋国会盟，商量攻打不顺服的国家。从此晋文公的霸主地位得到了诸侯们的承认。

城濮之战初期，晋军兵力远远不及对手，在借道不成的情况下，绕道渡过黄河在外线展开作战，一时间处境十分被动。尽管如此，晋文公头脑冷静，能够积极听取并采纳大臣们的建议，以邻近晋国的曹、卫两国作为突破口，为后期的作战打下了良好的基础，随后又使齐、秦两个大国加入到自己的阵营当中，最

终取得了战场上的主动权。

城濮决战之时，敢于先退一步，避开楚军的锋芒以争取政治和军事上的主动，诱敌深入，伺机决战；与齐、秦、宋各国军队会合，集中了优势的兵力；并根据敌人的作战部署，灵活地选择主攻方向，先攻敌之薄弱环节，各个击破，从而获得了这场大决战的胜利。反观楚国方面，则是君臣不睦，主帅狂妄轻敌，既不知争取与国，又不能多谋善断。加上作战判断上的失误，终于导致战争的失败，将原有的兵力和形势优势丧失殆尽。

由此可见，晋军的胜利，在于其谋略上胜敌一筹；而楚军的失败，不在于实力，主要是由于其谋划不如人。

孙子说"知彼知己，百战不殆"，"不知彼，不知己，每战必殆"，城濮之战的得失足资启迪。

历代名将

李牧

战国末期赵国人，杰出的军事家、统帅。李牧一生的军事活动大致可划分为两个时期，前期是在赵国北部边境抗击匈奴，后期则是回朝参与政治军事活动，以抵御秦国的进攻为主。

赵孝成王当政的时候，匈奴各部落的军队不断骚扰赵国北部边境地区，李牧奉命前往戍边。李牧根据实际情况采取了有力的措施以加强军队的战斗力，先后歼灭匈奴骑兵十余万骑，对后来的蒙恬对抗匈奴有很深的影响。

而更使李牧威名远扬的是他在公元前233年对秦国的肥之战，堪称围歼战的经典范例。当时赵将扈辄被秦将樊於期打败，损失精兵十万，秦军又从北路进攻赵国的后方，形势万分危急之时，李牧临危受命出任大将军，率兵南下反击秦军，在肥(今河北晋州西)全歼秦军十万人。这一战给秦国以非常沉重的打击，李牧也因功被封为武安君。

公元前229年，秦军以重金贿赂赵王宠臣，离间李牧与赵王关系。赵王中计，另派将领替代李牧，李牧拒不交出印信，赵王暗中布置圈套捕获李牧并斩杀了他，致使赵国灭亡。

形篇第四

开篇

在孙武的战略思想体系中，"全胜"占有突出的地位。《形篇》的出发点亦是"全胜"，不同之处只在于此处着眼的基点，是敌我双方军事实力这一物质基础，不少学者将孙武所言之"形"称之为"军形"，正是这个道理。

原文

孙子曰：昔之善战者，先为不可胜，以待敌之可胜。不可胜在己，可胜在敌。故善战者，能为不可胜，不能使敌之必可胜。故曰：胜可知而不可为。

不可胜者，守也；可胜者，攻也。守则不足，攻则有余。善守者，藏于九地之下；善攻者，动于九天之上；故能自保而全胜也。

见胜不过众人之所知，非善之善者也。战胜而天下曰善，非善之善者也。故举秋毫不为多力，见日月不为明目，闻雷霆不为聪耳。古之所谓善战者，胜于易胜者也。故善战者之胜也，无智名，无勇功，故其战胜不忒；不忒者，其所指必胜，胜已败者也。故善战者，立于不败之地，而不失敌之败也。是故胜兵先胜而后求战，败兵先战而后求胜。善用兵者，修道而保法，故能为胜败之政。

兵法：一曰度，二曰量，三曰数，四曰称，五曰胜。地生度，度生量，量生数，数生称，称生胜。故胜兵若以镒称铢，败兵若以铢称镒。胜者之战民也，若决积水于千仞之溪者，形也。

◎玛瑙扣◎

译文

孙子说：从前那些善于用兵打仗的人，总是预先创造不被敌人战胜的条件，来等待可以战胜敌人的时机。做到不被敌人战胜，全靠自己的主观努力，能否战胜敌人，则在于敌人是否有隙可乘。所以，善于用兵打仗的人，能够做到不被敌人战胜，而不能做到使敌人必定被我所战胜。所以说：胜利是可以预见的，却是不可单凭主观愿望而强求的。

要想不被敌人战胜，应该注重防守；想要战胜敌人，则应该采取进攻。实行防守，是因为实力不足，取胜的条件不充分；采取进攻，是因为实力强大，取胜的条件有余。善于防守的军队，隐藏自己就像藏于深不可知的地下一样，无迹可寻；善于进攻的军队，展开兵力就像从九霄突然降下，势不可挡。所以，善防善攻的军队，既能保全自己，又能获得全胜。

预见胜利不超过一般人的见识，不能算是高明中最高明的。打了胜仗而普天之下都说好的，并不是最理想的胜利。这就像能举起秋毫那样细小的东西算不上力气大，能看见太阳月亮算不上眼睛明亮，能听见雷霆的声音算不上耳朵灵敏一样。古时候所说的善于用兵打仗的人，是指那些总能战胜容易被打败的敌人的人。因此，这些善于用兵打仗的人取得了胜利，没有足智多谋的名声，也没有勇猛善战的功劳。这是因为他们的胜利不是偶然的，绝对不会有差错的。之所以不会有差错，是由于他

们所采用的作战措施建立在必胜的基础上，战胜的是那些已经陷于必败境地的敌人。所以，善于用兵打仗的人，总是使自己立于不败之地，而从不放过任何可以打败敌人的机会。因此，打胜仗的军队总是先取得必胜的条件，然后才寻找机会与敌人交战；打败仗的军队总是先与敌人交战，然后在战争中企图侥幸取胜。善于用兵打仗的人，能够修明政治，确保法度，所以能够掌握决定战争胜负的主动权。

◎虎纹铜钺◎

铜钺原是一种兵器，后也用作王族的仪仗礼器。虎纹则是铜钺主人的民族图腾标志。

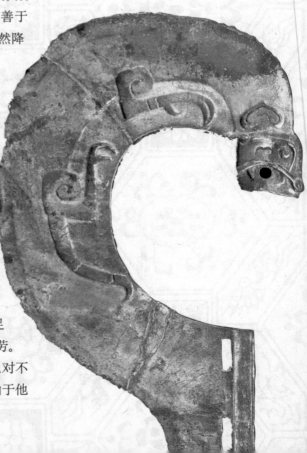

兵法中，用来衡量胜负的因素，一是"度"，二是"量"，三是"数"，四是"称"，五是"胜"。敌我双方所处地域的不同，产生土地幅员大小的"度"；敌我地幅的大小，产生双方人口和物质资源多少的"量"；敌我人口和物质资源的不同，产生双方军队和兵员多少的"数"；敌我军队和兵员的不同，产生双方军事实力强弱的"称"；敌我军事实力的不同，最终决定了战争的谁胜谁负。所以，胜利的军队对于失败的军队，就像用镒(一镒等于24两)与铢(一两等于24铢)相比较，占有绝对优势；而失败的军队对于胜利的军队，就像用铢与镒相比较，处于绝对的劣势。打胜仗的一方，指挥士兵作战，就像从万丈高山顶上决开积蓄起来的水流，顺山涧直泻而下，其势锐不可挡。这正是强大实力的表现。

评点

所谓"形"，通常有形状、形态、形式，显露、表现、对照、比较等义项，指的是物质运动的外在表现和客观效果，从而揭示运动着的物质的内在特点，因而，从哲学的角度来看，"形"所限定的范畴，是运动的物质，及其所获得的能量和效应。

我们知道，春秋末期的孙武，肯定不可能接触到现代哲学关于"形"的界说和运用法则，但是，我们不无惊诧地看到，古代的孙武在《形篇》中对于"形"的理解和运用，其出发点和着重点，却与现代哲学的命题十分接近。孙武以其朴素的唯物主义观点，清醒地看到物质基础的第一性，对战争所产生的先决作用(前面的《作战篇》对经济基础的强调，亦同)，深刻的洞察力和精辟的分析论证，的确令人肃然起敬。在我们对祖先的智慧表示

◎东汉青铜怪兽笔架◎

无尚崇敬之时，不禁会产生如此的猜想：现代哲学的某些命题，得源于中国古代文化，亦未必不是事实。《形篇》或可作为佐证。

孙武的战略思想体系中，"全胜"占有突出的地位。《形篇》的出发点亦是"全胜"，不同之处只在于此处着眼的基点，是敌我双方军事实力这一物质基础，不少学者将孙武所言之"形"称之为"军形"，正是这个道理。

军事实力的对比，是决定战争胜负的基础。所以，善于用兵的将帅总是尽力造成力量上的绝对优势，"先为不可胜"，然后等待时机，抓住敌人实力上的弱点和可能被战胜的机会（"以待敌之可胜"），发起攻击，获得胜利。"为"自己之不可被战胜，"待"敌人之可被战胜，表明了孙武客观冷静的态度。自己的条件可以创造，军事实力可以设法培养加强，主观努力能够在一定程度上改变现状，故曰"能为"；而敌人的军事实力与用兵的条件，却是我们无法凭一厢情愿可以更改的，一切变化只能通过敌人内部的作用来实现，因此说"不能使"，只可等待时机，静观其变。胜负是可以预测的，但是不可以强求，认识深刻且充满辩证的智慧。

那么，如何确保全胜，至少是不被敌方战胜，孙武提出了依据实力对比而灵活运用攻守方略的具体原则。敌人实力强大，不可战胜时，采用"守"的方略，并且要守得住，完整保存自己的实力，"藏

◎牛首纹铜钺◎

于九地之下"，使敌人无法寻找，避免在不利条件下被迫与敌决战；敌人实力不足，有绝对把握战胜它时，应该选择"攻"的方略，并要迅速出击，速胜速决，"动于九天之上"，出其不意，势不可挡，完全彻底消灭敌人。根据敌我双方的实力，掌握好攻守的转换，做到能攻善守，该攻则攻，不能攻则守，才能做到"自保而全胜"。这与"知彼知己，百战不殆"一脉相承，是用兵作战的理想的境界。

"自保"是前提，"全胜"是目的。真正善于用兵的将帅，必然注意"自保"，先使自己"立于不败之地"，然后很好地把握时机，"不失敌之败"，而求得"全胜"。为了充分说明这一点，孙子先从反面入手，对一般人通常认可的某种观点进行分析，指出了

它们不应该是真正出色的将帅所追求的境界。能够预测到胜利，但见识并没有超过普通人的地方（"见胜不过众人之所知"），通过强攻猛打而勉强取得胜绩；并得到极为广泛的赞扬（"战胜而天下曰善"），尽管也是胜利，但不是孙武所期望、所推崇的胜利（"非善之善者也"）。究其原因，一是对敌我双方的军事实力及战争的胜负，缺乏更深刻更独到的见解，无法确保以最小的代价获取最大的胜利，更没有把握"不战而屈人之兵"，"全胜"不能"自保"也难；二是只图眼前之利，天下之誉，浪得善战之虚名，却忽略了还可以采用更好的方式、选择更有利的机会。孙武对这样的想象十分不以为然，甚至表示了极大的轻蔑。他用一组生动漂亮且极富哲理意味的排比，强烈地表达了这种情感："举秋毫不为多力，见日月不为明目，闻雷霆不为聪耳。"言外之意是，真正善战者，应该是察秋毫之末于阴晦幽暗之中，闻呼吸之息于千山万水之外，举万钧之鼎于倾覆既倒之时，方可言有过人之知。

接下来，孙武论述了自己认定的善战者标准：一曰"胜易胜者"，即确切地掌握了敌人实力方面必败的情况，捕捉到了可以一举胜敌的最佳时机，同时自己已做好了各方面的攻击准备，那么，对方早已成笼中之鸟、瓮中之鳖，胜利便轻而易举，如探囊取物般十拿九稳、不费吹灰之力。二曰"战胜不忒"，（忒：tè，差错。）即每战必胜，绝不会有任何差池和闪失。其主要的原因是善战者所采用的战略战术措施，能够充分地发挥自己的实力优势，将敌人逼到了注定要失败的绝境。战场上情势千变万化，指挥官的一着失手，极可能导致局势的急转直下，胜势变为败势，有利化为不利，绝对的优势兵力并不一定带来绝对的胜利。因而，善战者应善于"因利而制权"、"立于不败之地，而不失敌之败也"。三结论："是故胜兵先胜而后求战，败兵先战而后求胜。"不打无准备之仗，没有绝对取胜的实力

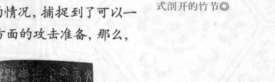

◎鄂君启节通行凭证，形式剖开的竹节◎

和机会，绝不贸然攻击对手。因为战争毕竟是实力与谋略的较量，任何侥幸的心理和投机取巧的冒失，必然招致惨重的失败甚至彻底的灭亡。

综上所述，孙武提出了战争的决策者、指挥者，应遵循的一个基本原则，或者说一个出色的将帅应该具备的基本素质："修道而保法"。对于"修道保法"的解释，通常人们以为是"修明政治，严明法度"。这自然无大错，但极不完善。"道"、"法"在中国古代哲学文化中，远比现代语文的涵义要丰富博大许多倍。道，既可以指政治，即所谓治国平天下之道；亦可以指事物的一般规律，"道法自然"是也；还可以指某种理论、伦常规范、行为准则和技术方法。法，既有法律、法令等必须强制遵守的行为规律的意思，也有方式方法、标准样板、技法技巧的意义。孙武所言之"道"、"法"，显然不仅限于或者主要不是指政治和法律，而应该是指用兵打仗的普遍规律和基本法则，在此处特别强调的，则是对军事实力这一物质基础的深刻认识和主观营造，对运动着的军事实力所集积的能量和可能产生的效力的准确计算和正确利用。所谓"修"，即"能

为"、"以待"与"不可使"，通过多方努力，使各方面的条件都向"先为不可胜，以待敌之可胜"的方向发展；所谓"保"，即"善守"、"善攻"、"所措必胜"，确实保证正确的策略得以顺利实施，确保"立于不败之地"的我方，能"易胜"已败"之敌，以期达到"自保而全胜"、"战胜不忒"的预期目的。只有这样，才能算真正掌握了决定战争胜负的主动权，才称得上是真正善于用兵打仗的将帅。

在充分论证了战争胜负对军事实力这一客观条件的依赖之后，孙子提出了具体测算军事实力的科学方法——从土地幅员、人口和物质资源、兵员和军队、双方的综合实力等方面的"链式"制约中，对敌我双方的整体情况进行仔细的比较与衡量，从而确切测定胜负的可能性和把握性。一旦确实获得了绝对优势，"胜兵若以镒称铢，败兵若以铢称镒"，则应采取断然措施发起攻击，以飞流直下的速度和不可抵挡的气势，完全彻底、干净利落地消灭敌人。孙武将力量的对比建立在科学计算的基础上，从各个方面进行分析对比，与当

今流行的综合国力的计算有很多的相似之处。以今证古，我们不仅深入地认识到了孙武谋略的精义，更能直接地感受到孙武兵法的现实针对性和普遍的指导意义。

战国末年，秦将王翦大胜楚军的成功战例，雄辩地证明了孙武《形篇》所提出用兵原则，是屡试不爽的真理。

公元前225年，一心想统一中原的秦王嬴政再次谋划进攻楚国。出兵前，秦王问大将李信，攻楚需要多少人马，李信预计二十万人马就足够了。又问老将王翦，回答是非六十万人马不可。秦王以为王翦年老胆怯，勇气减退，故用李信为将，蒙武为副将，率二十万兵马进攻楚国。李信初战告捷，一举攻下平舆，又西进攻下田城，便约率兵攻打寝邱的蒙武迅速西进城父，合兵向纵深挺进。

这时，楚国见秦兵已深入楚国腹地，便派项燕为大将，领兵二十万，水陆并进，迎击秦军于西陵，并派副将屈定，设七处伏兵于鲁台山一带。秦楚两军遭遇西陵，战斗异常激烈，秦军前进受阻，难分难解之时，屈定的七处伏兵突然杀出，秦军两面受敌，猝不及防，大败而逃。

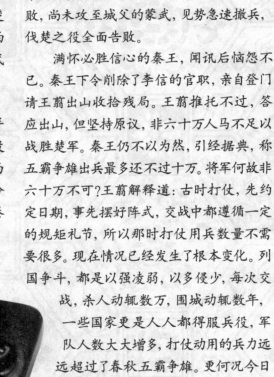

◎三国时期指南车◎

项燕乘胜追击，杀秦军都尉七人、士卒无数，直至平舆，收复全部失地。李信兵败，尚未攻至城父的蒙武，见势急速撤兵，伐楚之役全面告败。

满怀必胜信心的秦王，闻讯后恼怨不已。秦王下令削除了李信的官职，亲自登门请王翦出山收拾残局。王翦推托不过，答应出山，但坚持原议，非六十万人马不足以战胜楚军。秦王仍不以为然，引经据典，称五霸争雄出兵最多还不过十万。将军何故非六十万不可？王翦解释道：古时打仗，先约定日期，事先摆好阵式，交战中都遵循一定的规矩礼节，所以那时打仗用兵数量不需要很多。现在情况已经发生了根本变化。列国争斗，都是以强凌弱，以多侵少，每次交战，杀人动辄数万，围城动辄数年，一些国家更是人人都得服兵役，军队人数大大增多，打仗动用的兵力远远超过了春秋五霸争雄。更何况今日的楚国，拥有东南广大的地域，人口众多，资源丰富，一声号令，便可动员百万之众参战，想要征服它，恐怕六十万兵马还嫌少了呢。王翦的分析入情入理，说得秦王心服口服，终于答应要求，命王翦率六十万大军征讨楚国。

王翦率军来到前线，与楚将项燕对阵。王翦将大军扎于天中山下，连营十里，坚壁固守，任凭项燕每日阵前挑战，他都置之不理，概不应战。日复一日，免战牌高挂，项燕便以为王翦年迈无勇，惧怕楚军，渐渐骄傲轻敌了。秦营中，王翦命每天杀猪宰羊，改善士兵饮食；将军与士兵同吃同住，对士兵问寒问暖，关怀备至，官兵融洽，上下同心；王翦一面劝阻士兵出战的请求，一面教导士卒进行投石和超距训练（投石类似今天的手榴弹投掷，超距很像现代体育比赛的跳高）。通过比赛，增强了士兵的体质，提高了技能。同时，命令秦军不许越过楚国边界去砍柴，抓获楚国边境百姓要给以酒肉款待，释放回家。秦军的"怯战"和"友好"，在楚边境一传十，十传百，百姓对秦军由恐惧对抗逐渐变得安定和亲近起来。如此相持一年多，项燕总不能求得一战，便确实认定王翦力弱怯战，更加放松了戒备，楚营中，士兵松松垮垮，对战争已全无警觉。而休整操练了一年有余的楚军，个个精力旺盛，士气正高。王翦将一切都看得清清楚楚，认为时机已到，有了必胜的把握。于是，大享三军，突然下令向楚军发起全面进攻。王翦选二万精兵打先锋，又分兵数路向楚军同时发起猛烈攻击，并命令部队：各路人马只要打败敌人，便可各自为战，向楚国纵深进攻。早已摩拳擦掌的秦军将士，突然攻击，势如万钧雷霆，迅猛异常，所向无敌。而长期松懈麻痹的楚军，突遭秦军猛烈袭击，仓皇应战，斗志全无，几乎没有什么抗击能力。未经几次交锋，便大败溃散，副将屈定战死，主将项燕率兵败逃东去。王翦乘胜追击，又获永安城大胜。未及数月，秦军先后攻占了淮北、淮南、江南等地，最后终于俘虏了楚王负刍，大将项燕被迫自杀。到第三年，即公元前223年，嬴政执政二十三年，秦王终于并吞了楚

国。强秦吞楚，王翦之功大矣。而王翦的成
功秘诀，正是孙武所言之"先为不可胜，以
待敌之可胜"，守则"藏于九地之下"，攻则
"动于九天之上"，终于造成"以镒称铢"的
绝对优势，然后以"决积水于千仞之溪"的
猛烈攻势，一举全胜已败之敌。

《形篇》不仅是一篇闪耀着辩证法和
实事求是精神光辉的兵书，而且是一篇极富
文采的美文。尤其是"藏于九地之下"、"动于九天之上"、"决
积水于千仞之溪"的比喻夸张；"举秋毫不为多力，见日月不为明
目，闻雷霆不为耳聪"的排比辨析；"地生度，度生量，量生数，
数生称，称生胜"的顶针连贯；"以镒称铢"、"以铢称镒"的对照
比较，等等，都是极富美感的生花妙笔，不仅可使兵家于轻松愉
悦中理解孙子兵法的精义，也可使一般读者得到美的享受，感受
到孙子兵法的诱人魅力，受到心智的启发。

◎嵌绿松石铜镯◎

战例

庞涓轻敌遭兵败

周显王二十八年，魏惠王派庞涓统帅大军，前去攻打韩国。韩国
抵挡不住魏军的进攻，无奈之下被迫向齐国求援，齐国国王召集大
臣们商议，是否出兵去救韩国。齐国的大将田忌说："如果不出兵救
援，韩国恐怕抵抗不了魏国的进攻，如此一来就可能投降魏国，倘若
韩、魏两国果真联起手来，就会威胁
齐国，对齐国不利。"

相国邹忌说："无论韩、魏之
战谁胜，实力都会受损，那就会
有利于齐国。"

大臣们七嘴八
舌，有的主张出兵，

有的主张坐山观虎斗，闹得齐王一时没了主意。这时，谋士孙膑站出来说："韩、魏两国正在交锋，胜败难测，若现在出兵去救援韩国，就是代替韩国去挨魏军的打，使齐国军队遭受损失，还有可能兵败使国家有危险。魏国出兵，意在攻韩。我们应该先向韩国表示我们一定出兵，使韩国寄希望于我们而有信心抵抗，这样也会使魏军受到消耗。当韩国处境危险时，我们再出兵，一则可以减少我们的力量消耗，二则也会使韩国对我国感恩戴德。"

齐王听了，连连点头，决定按孙膑的办法去做。

韩国军民听说齐国答应出兵救援，上下一心，坚持抗战，等待援兵。魏军进犯韩国，虽然五战五胜，但也是伤亡惨重。齐国抓住时机，以田忌为大将，孙膑为军师，统军救韩。这次救韩，仍采用"围魏救赵"的办法，大军直指魏都大梁。魏王见国都受到齐军的威胁，忙命庞涓速率大军回国抗齐。

庞涓率大军回国时，齐军已进入魏国国境。孙膑见庞涓领兵回来，对田忌说："庞涓带兵一直骄傲轻敌，急于决战，我们可以利用他这一弱点，诱敌冒进，然后再设埋伏消灭他们。兵书上说：如果走一百里去争利，就有使大将军受挫的危险，如果走五十里去争利，也只有一半军队能够赶到。我们可以第一天造锅灶十万个，第二天减少为五万个，第三天减少到三万个，让庞涓以为我们的士兵一天天地在逃走。"田忌便按着孙膑的话去做了。

这样，齐军与魏军稍一接触，便立即后撤，让魏军连追了三天。庞涓见手下人数得的齐军锅灶数目一天天减少，果然以为齐军不敢与魏军对抗逃走了。庞涓得意地说："我知道齐军一向怯懦，不敢打仗，我们才追他们三天，士兵已逃跑了一大半，这样的军队，还用得着我带这么多军士去追击吗？于是，庞涓丢下步兵，只率领一部分轻装精锐的骑兵日夜兼程，追赶齐兵。

孙膑根据魏军的行军速度，推算出庞涓将于当天日落后进抵马陵。马陵附近，道路狭窄，地势险要，便于设伏。孙膑派一万名弓箭手埋伏在道路两旁，告诉他们："夜间看到火光一齐放箭。"孙膑另派人把路旁一棵大树的皮剥掉，写上"庞涓死于此树之下"。庞涓率领的追兵，果然在预定的时间进入伏击区。庞涓见树上写着字，但天黑看不清楚，遂命人点起火把来照明。齐军一见火光立即万箭齐发，魏军没有任何防备，乱成一团，庞涓这才知道中了埋伏，他一看败局已定又恨又悔，便抽剑自杀了。齐军乘胜追击，又连续大败魏军，前后共歼灭魏军十万多人，也解了韩国被魏国进犯之围。

孙膑的胜利很大程度上是因为选择了最适宜的出兵时机，而庞涓的错误则在于对形势的错误判断而导致失败。善于作战的人，在战争中总是让自己永远处在有利、主动的形势之下，而绝不放过任何出击敌人的机会。

◎图右为天下第一剑，采用青铜铸造，高4.5米、重达3吨。◎

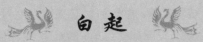

历代名将

白起

白起，战国时期秦国著名军事家，人称"战神"，战国四大名将之首。

白起素以深通韬略著称，初为秦军左庶长，后历任秦国左更、国尉、大良造等职，被封为武安君。在近三十年的军事生涯中，屡战屡胜，攻城七十余座，是军事史上最擅长打歼灭战的军事统帅之一。

白起的主要战绩有：伊阙之战斩杀韩、魏联军二十四万；攻楚三次，歼灭楚军三十五万，攻破楚都，焚烧楚国祖庙；攻赵之时，仅长平之战一役就歼灭坑杀赵军四十多万人……前后加起来，白起在战争中共歼敌一百多万。据梁启超考证，整个战国期间共战死两百万人，其中一半是死于白起之手。白起精通作战指挥艺术，他指挥作战有三大特点：第一是不以攻城夺地为唯一目标，而是以歼灭敌人有生力量为作战目的，而且善于野战进攻，战必求歼；第二是穷追猛打，为了歼灭敌人大打追击战；第三是运用临时营垒工事作为辅助手段，一方面阻击敌人，同时也防范敌人逃脱。但后世也有很多人认为他战必求歼的做法太过血腥，特别是坑杀赵军降卒，驱赶赵军两万人入河淹死太过于残忍。

势篇第五

开篇

《势篇》着重论述了战争指挥者的"治"、"斗"、"变"与"任势",即造势与用势,强调的是主观能动作用的发挥。孙武的深刻用心就在于有了军事实力之"形",还需有善于造势、用势的出色指挥官,否则,优势实力便不能化为必然胜利之"势"。将帅的主观能动性,对于战争的胜负来说,至关紧要。

原文

孙子曰:凡治众如治寡,分数是也;斗众如斗寡,形名是也;三军之众,可使必受敌而无败者,奇正是也;兵之所加,如以碬投卵者,虚实是也。

凡战者,以正合,以奇胜。故善出制者,无穷如天地,不竭如江河。终而复始,日月是也;死而复生,四时是也。声不过五,五声之变,不可胜听也;色不过五,五色之变,不可胜观也;味不过五,五味之变,不可胜尝也。战势不过奇正,奇正之变,不可胜穷也。奇正相生,如循环之无端,孰能穷之?

激水之疾,至于漂石者,势也;鸷鸟之疾,至于毁折者,节也。是故善战者,其势险,其节短。势如矿弩,节如发机。

纷纷纭纭,斗乱而不可乱也;浑浑沌沌,形圆而不可败也。乱生于治,怯生于勇,弱

◎立牛豆形铜盖樽 战国◎
纹饰线条细如毛发,刚劲、流畅兼而有之,为中原青铜器所少见。

生于强。治乱，数也；勇怯，势也；强弱，形也。故善动敌者，形之，敌必从之；予之，敌必取之。以利动之，以卒待之。

故善战者，求之于势，不责于人，故能择人而任势。任势者，其战人也，如转木石。木石之性，安则静，危则动，方则止，圆则行。故善战人之势，如转圆石于千仞之山者，势也。

译文

孙子说：管理人数众多的军队，能够像管理人数很少的军队那样应付自如，是由军队编制和组织的合理；指挥大部队作战，能够像指挥小部队作战那样得心应手，是由旌旗鲜明、鼓角响亮，通讯联络畅通；能使全军在遭受敌人进攻时不致失败，关键在于"奇正"战术的运用要随机应变；指挥军队进攻敌人，就像用坚硬的石头砸鸟蛋那样一击即溃，关键是避实击虚策略的正确运用。

一般成功的战争，总是以"正"兵迎敌，以"奇"兵取胜。善于用奇兵取胜的将帅，他的战术变化，就好像天地的运行一样，无穷无尽；像江河的流水一样，永不枯竭。周而复始，这是日月运行的规律；衰而复盛，这是四季更替的法则。音调不过五种(宫、商、角、徵、羽)，但五音的变化可以组成各种各样听不尽的乐曲；色彩不过五种(青、赤、黄、白、黑)，但五色的配合可以绘出多姿多彩看不完的图画；味道不过五种(辛、酸、咸、甜、苦)，但五味的调和可以做出有滋有味尝不遍的佳肴。作战的战术方法不过"奇"(特殊战术，出奇制胜)和"正"(常规战术，按部就班)两种，但奇正的变化无穷无尽，不可胜数。奇与正的相互依存、相互转化，就像顺着圆圈旋转那样，无头无尾，无始无终，谁又能穷尽它呢？

湍急的水流迅猛奔泻，以致能够把石头漂浮移动，那是由于水势强大的缘故；凶猛的雕鹰奋飞搏击，以致于能捕杀雀鸟，那是由于掌握了时机节奏的缘故。因此，善于指挥战争的将帅，他所造成的态势总是险峻逼人，发起攻击的时机节奏总是短促迅捷。这样的险势就像张满了的弩弓，箭在

◎乐浪太守橡王光之印◎

弦上，蓄势待发；这样的短节就像用手扣动扳机一样，一触即发。

战旗纷飞，人马混杂，在混乱中指挥战斗，要能保证自己的军队整齐不乱；兵如潮涌，浑沌不清，要使自己的军队阵形周密而立于不败。向敌人显示混乱的假象，是建立在自己的军队有严整的组织管理的基础之上；向敌人显示怯懦，是由于本军将士有勇敢的素质；向敌显示弱小，是由于自己拥有强大的实力。严整或者混乱，是军队组织编制好坏的结果；勇敢或者怯懦，是士兵素质态势的外在表现；强大或者弱小，是军事实力大小的显现。所以，善于调动敌军的将帅，用伪装假象迷惑敌人，敌人就会听从调动；用好处引诱敌人，敌人就会上当前来夺取。用利益来引诱调动敌人，并以重兵等待敌人，伺机聚而歼之。

所以，善于指挥作战的人，总是注意利用有利于己的必胜态势，而从不对部属求全责备。因此他们能够很好地量才用人，利用和创造必胜的态势。能够充分利用必胜态势的人，他们指挥战争就像转动木料、石头一样。木石的特性是，放在安稳平坦的地方就静止不动，放在险峻陡峭的地方就会滚动；方形的木石容易稳定静止，圆形的木石则滚动自如。所以，善于指挥作战的人所造成的有利态势，就像将圆石在万丈高山上转动一样，随时可以翻滚而下，其能量不可抵挡，无坚不摧。这就是所谓的"势"———一切有利因素表现出来的必胜的趋向。

◎居庸关长城◎

评点

《势篇》是《形篇》姊妹篇，二者之间有着密切的内在联系。"形"指的是运动的物质，"势"则指物质的运动，"形"是基础，"势"则是结果，"形"有展示显露的端倪，而"势"则是现象之下隐藏的必然趋向。有"形"必然有"势"，"形势"相联，理固使然。然而"形""势"有别，物质之"形"是客观存在，运动之"势"则可以主观造就，故《形篇》是对军事实力的客观分析和有效利用，强调的是客观物质力量的积聚；《势篇》则着重论述战争指挥者的"治"、"斗"、"变"与"任势"，即造势与用势，强调的是主观能动作用的发挥。孙武的深刻用心就在于，有了军事实力之"形"，还需有善于造势、用势的出色指挥官，否则，优势实力便不能化为必然胜利之"势"。将帅的主观能动性，对于战争的胜负来说，至关紧要。

《势篇》所取的角度，是对敌实施战略进攻，论述的主要问题，是将帅们战术原则的运用和必胜态势的造成。

首先，孙武提出了用兵作战时，将帅必须掌握好四个环节，充分发挥主观能动性，

从而使军队的实力得以最大限度的发挥，最终取得战争的胜利。
这四个环节是"分数"、"形名"、"奇正"、"虚实"。"分数"即部队的组织编制，是治理全军、统率兵众的关键；编制有序，组织严密，部队的管理就能轻松自如，因此是第一位的。"形名"即部队的通信联系，是指挥者的意图能否顺利传达贯彻，部队能否及时调度、令行禁止的主要手段，直接关系着战局的进行和胜败，故居其次。目之可见为形，此处指表示番号和用于联络的旌旗；耳之所听为名，此处指传达进退命令的金鼓号角。"奇正"是用兵的战术及其变化。正面迎敌为正，侧面袭击为奇；明攻为正，偷袭为奇；按常规作战为正，采用特殊战术为奇。"奇正"战术的正确使用和灵活变化，是军队遭到敌人攻击而不被打败的成功诀窍。最后是"虚实"，即善于避实击虚，造成以实击虚、以石击卵的绝对优势，"胜于易者"、"胜已败者也"（见《形篇》）。严密的组织体系，畅通的指挥通讯系统，"奇正"结合灵活机动的战术和正确选定的主攻方向，是把胜利的可能变成现实的主要环节，四者之间有着严密的逻辑联系和逻

◎汉高祖刘邦长陵兵马俑◎

辑顺序。

其次，提出"以正合，以奇胜"的重要命题，深入论述了奇正相依相存，相互转化的无穷魅力和致胜奇效。用兵打仗无非奇正两种战法，一般的使用原则是用正兵迎击敌人，尤其是在防守过程中，更应集中兵力有效地拦击进犯之敌；用奇兵获取胜利，在主动进攻的时候，更要攻其不备，出奇制胜。这是第一层，奇正战术运用的基本原则。孙子突出强调的方面是"奇"。因为"奇"本身的超出常规通法，"奇"的变化便无穷无尽，难以胜数。天地、江河、日月、四时的无穷无尽、循环往复，五声、五色、五味的变幻组合、层出不穷，一系列美妙精到的比喻，将难究其义、不见其形的奇正之变、奇正相生等抽象理论，形象生动地展现在读者面前，不由人不服。这是第二层，就文章之道而论，也是一例"以奇胜"的成功典范。奇也好，正也罢，都是方法，而不是目的。相依相存，相互转化的目的是为了造成必胜的态势，譬如疾可漂石的水势，鸷鸟搏击毁折的节奏，善战者用奇正之术，目的在于营造"势如弩，节如发机"的兵势，可以突发奇兵，直捣黄龙，大获全胜。这是第三层，结束对奇正的分析。第四层便入奇正的运用，指出造成出奇制胜的兵势，有两个重要的方面。一是完善自我，部队要训练有素、组织严密，能在人马杂乱、战旗纷飞的混战中，做到建制不乱，指挥有力；要布阵周密、首尾相接，能在兵如潮涌、浑沌不清的情况下，做到圆运自如，立于不败。二是诡道诱敌，隐蔽真相，示敌以伪装，掩盖真实目的，给敌以小利，引诱敌人上当，服从我们的调动，然后聚而歼之。治乱、勇怯、强弱之间，有着深刻的内在联系，它不仅是由客观情形与实际力量决定的，而且对立的两方面是一种辩证统一的关系，即有治方可示敌以乱，有勇方可示敌以怯，真正强大方可伪装弱小，否则诡道诱敌便无从谈起。如果按孙子固有的思路和习惯的做法，我们也可将完善自我称为"正"，而将诡道诱敌叫做"奇"，奇正相生，"正"是母亲而"奇"为子息，辈分是不能乱的。

◎橹船(模型)◎

最后的结论是选择适当的人充任战争的指挥，充分利用有利形势，并最终

把胜势变成实实在在的胜果。上文中孙武"势险"、"节短"两个重要原则，是对《计篇》中"造势"（"乃为之势"）的具体要求，并力陈用"示形诱敌"的方法调动敌人(兵家谓之"动敌")形成优势。这一切都是主观努力的结果。但"造势"不过只是条件的准备而已，"任势"才是最关键的。有了优势而不利用，优势就没有意义，"造势"也就不知是为谁辛苦为谁忙了。因此，"择人而任势"便是必然的逻辑终点。孙武指出，人的因素第一,将帅起决定作用。善于指挥打仗的将帅,"求势"而不"责人","择人而任势"。能够充分利用有利态势的将帅,所指挥的军队就像从万丈高山之上滚动冲下的圆形木石一样,无坚不摧,无往不胜。

一篇之中,先言势之基础——分数、形名、奇正、虚实,次言造势之方法——以正合、以奇胜,结于用势之关键——择人任势,严谨翔实,顺畅圆满。优美的文字和生动形象的比喻,更令人如含英咀华,回味无穷,轻松地了解并认同了孙子精深奇谲的战略思想。或可曰孙武为文,亦重奇正,以正(精深的战术理论)合,以奇(精美生动的文笔)胜。

曹操是研究注释《孙子》的第一人,对《孙子》评价甚高:"吾观兵书战策多矣,孙武所著深矣。"曹操是著名的军事家,他的成功很大程度上得益于对《孙子》活学活用。公元200年的官渡之战,曹操大败袁绍,便是一证。

东汉末年,武装割据集团纷起,为争夺地盘而征战不断。到二世纪末,曹操与袁绍成为当时势力最大的两大割据集团,并形成了沿黄河下游南北对立的局面。

◎四川广元明月峡古栈道——金牛道。◎

公元200年，袁绍陈兵十万于黄河北岸，计划渡河与曹操决战。大军压境，曹军中不少人甚觉惶恐。曹操向将士们分析形势，指出袁绍野心虽大，但缺少智谋，表面气势汹汹，实际上胆略不足；疑心重且忌人之能，兵虽多但组织不严，指挥不灵，而且将帅骄横，政令不一。战胜袁绍有绝对把握。曹操的谋士荀彧也认为，袁军内部不团结，将帅、谋士之间矛盾重重，并非坚不可摧。曹操、荀彧的分析，鼓舞了曹军战胜袁绍的信心。针对实际情况，曹操制定了以逸待劳，后发制人的战略方针。将主力陈于官渡，以挡袁军正面进攻，确保都城许昌的安全，同时加强关中、河内的防守，以防袁军西路进犯，固守延津、白马等重要渡口，阻挡袁军渡河南下，形成三面固守之势，然后静观其变，伺机取胜。

2月，袁绍派大将颜良渡河攻打白马，企图争夺南岸要点，以保障主力渡河。白马守将刘延坚守城池，伤亡严重，情势危急。此时荀彧献计设法分散袁军兵力，避免以三四万的人马与袁军十万之众正面交锋。曹操听计，引兵先至延津，佯装要渡河北上攻击袁绍后方。袁绍果然中计，分兵增援延津。曹操迅速调转兵力，向东以张辽、关羽为前锋率轻骑驰援白马。曹军距白马十余里时，袁军才发现。颜良措手不及，被迅速迫近的关羽斩于马下，袁军大败，溃不成军。

白马解围，曹操率兵沿河西撤，损兵折将的袁绍，恼羞成怒，不听谋士沮授的劝谏，强行渡河追击曹操。兵至延津，袁绍派文丑、刘备攻击曹军。曹操命令士卒解鞍放马，又将辎重故意丢弃道路两旁。追赶而来的袁军，见状争抢辎重，对曹军毫无战意。此时，曹操急令士卒上马，突然发起攻击，一举打败袁军，杀了大将文丑。曹操获胜后，顺利退回了官渡大本营。

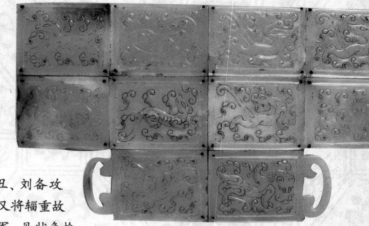

白马、延津两战，袁军虽初战失利，但兵力仍占优势。八月，袁军逼近官渡。与曹军对峙。曹操在官渡严密设防，并寻机攻击袁军，但未能取胜。于是，曹操便深沟高垒，固守阵地。相持三月有余，曹操因兵力粮草不足而产生动摇，有意退守许昌。留守许昌的荀彧指出：袁军亦是兵力耗损殆尽，这时正是战势即将转折的关键，用奇的战机即将出现，先退者便会陷于万劫不复之灾。曹操采纳荀彧的意见，一面加强防守，严令军需官设法解决粮草补给，一面积极寻找战机，准备奇袭袁军。

曹操选择了截烧袁军粮草的办法以争取主动。他先派人把袁将韩猛督运的数千辆粮车截获烧毁。不久，袁绍又将一万多车粮食集中于乌巢，派淳于琼率军守护。曹操得知消息后，留曹洪、荀攸等守卫大本营，自己亲率步骑五千去攻打乌巢。曹军一律改穿袁军服装，用袁军旗号，夜间取小道急奔乌巢。途中曾遇袁军盘问，以袁绍调派巩固后路而骗过了袁军。曹军到乌巢，立即放火烧粮，袁军大乱，淳于琼仓促应战。后淳于琼见曹军人少，便固守营垒，与曹军相持。此时，若袁绍派重兵援救，则乌巢可保，曹操获胜便相当困难。但是，袁绍闻知曹操攻打乌巢，却错误地认为官渡一定空虚，是破曹的好机会，而且强攻大本营，曹操必定引兵回救，乌巢之围自解。于是，袁绍以主力攻打官渡曹营，只派少量兵马救援乌巢。不料，曹营坚固异常，一时不能攻下，曹操也没有回援官渡，而

是奋力攻打淳于琼，决心毁掉袁绍所有粮草。袁
军增援骑兵迫近乌巢，但曹操并不分兵阻
击，而是与淳于琼殊死决战，终于大破淳
于琼，待增援袁军到达，乌巢只剩下淳
于琼与士兵的尸体，万车粮草已化为
灰烬。乌巢粮草被烧，消息传来，袁
军一片惊慌，军心大乱。曹操偷袭乌
巢时，大将张曾主张派重兵救援，而
谋士郭图迎合袁绍力主进攻官渡。此
时，郭图害怕袁绍追究责任，便向袁绍
进谗言，诬陷张为乌巢大败而高兴。张遭
中伤后，既气愤又害怕，便与高览一起投降了
曹操。张、高二将降曹，更使袁军惶恐不安，不
战自乱。曹操乘机发起全面攻击，迅速消灭了袁军七万多
人，袁绍率残部仓皇逃回河北。曹操获得了官渡大战的全面胜利。

◎宽边玉镯◎

官渡之战，是以弱胜强的成功范例。曹操的成功，首先在于
他善于审时度势，能够客观地分析敌我双方的优势与劣势(即所谓
"分数、形名、奇正、虚实"等)，面对绝对优势的袁军，采用以逸待
劳、后发制人的战略方针(即"受敌而无败"、"斗敌而不可乱")。其
次是善用兵法("以正合，以奇胜")，以主力与敌对峙官渡，以小部
队突袭白马、乌巢；佯攻延津，以调动袁军分散兵力("形之，敌必
从之")，而解了白马之围；延津之战，示强以弱，以利诱敌，然后歼
击("以利动之，以卒待之")；偷袭乌巢，是出奇制胜的典型("势如
弩，节如发机")，而拒不分兵阻击援军，宁肯腹背受乱，正应了"置
之死地而后生"的名言，造成了"危则动"的情势，迫使将士奋力向
前("转圆石于千仞之山")。再次，曹操善于"择人任势"，他听取
部下(尤其是谋士荀彧)的正确意见和建议，灵活变换战术，正奇并
用，终于变被动为主动，彻底扭转了战势，并利用有利态势取得了
最后的胜利。

官渡之战，曹操之胜，胜在对孙武《势篇》的正确理解和适当
运用，而袁绍之败，恰恰败在了对《势篇》基本原则的违背与无知，
不懂得"择人而任势"，也不懂"奇正之变"、"奇正相生"。可以这
样说，官渡大战，曹操、袁绍的胜败结局不同，但胜与败皆出于同
一个原因：势也。

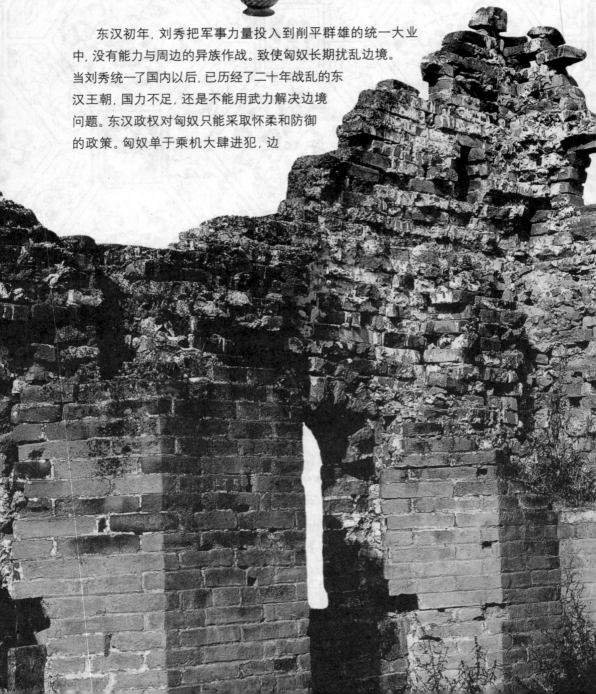

战例

窦宪大破北匈奴

　　东汉初年，刘秀把军事力量投入到削平群雄的统一大业中，没有能力与周边的异族作战。致使匈奴长期扰乱边境。当刘秀统一了国内以后，已历经了二十年战乱的东汉王朝，国力不足，还是不能用武力解决边境问题。东汉政权对匈奴只能采取怀柔和防御的政策。匈奴单于乘机大肆进犯，边境民众遭受匈奴烧杀掠抢，苦不堪言。

到汉和帝即位时，由于年幼，由窦太后主持朝政，开始出兵对匈奴进行了大规模的讨伐。

当时匈奴单于去世，整个匈奴部落分裂成南北两部分，而北匈奴又诸王争立，发生了内乱，南匈奴向汉朝请求出兵攻击北匈奴。执政的窦太后认为，这是汉朝几百年边患得以根除的大好时机，所以不顾朝中大臣们的劝阻，派她的哥哥窦宪为车骑将军，率五万精骑，分三路向北匈奴进发。

北匈奴闻知汉朝派大军来进攻，便将分散的几个部落的军力集中至稽落山（即今蒙古人民共和国的阿尔泰山），以防被汉军各个击破。但由于北匈奴经常受到漠北东部的鲜卑人的攻击，而且当时的草原正遭蝗灾，所以，战斗力受到了很大的影响。

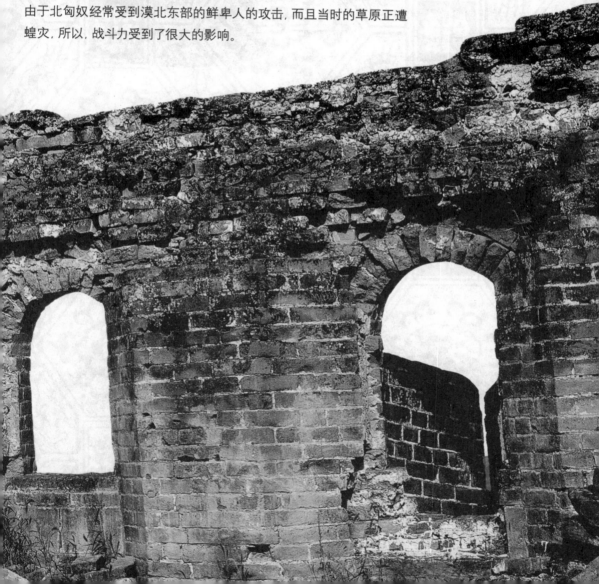

窦宪领兵长驱直入，直抵稽落山，对北匈奴展开攻击，北匈奴单于无心交战，率军北逃，汉军一路追杀至北海，歼北匈奴一万三千多人，俘获牛、马、羊、骆驼等共百万多头，北匈奴有八十多个部落向汉军投降，但北匈奴单于率兵逃脱了。

窦宪登上燕然山(今蒙古人民共和国杭爱山)，让当时担任中护军官职的班固差匠刻石碑，以记述这次胜利，宣传东汉北征的伟大战绩。

窦宪获胜后，一面率军回师，一面派出使节去寻找北匈奴单于，希望能招降他。北匈奴见到汉朝使节后，同意投降，并派人同汉使到了洛阳。窦宪看北匈奴单于没有亲自来洛阳，认为他没有投降汉朝的诚意，上书给窦太后，请求再次出征北匈奴。

第二年七月，窦宪再次率领大军出凉州。南匈奴单于为了能尽早攻破北匈奴，派出了八千骑兵，与汉军协同作战。这次，窦宪吸取了上一次正面进攻让北匈奴单于逃走的教训，派班固率军于正面佯攻北匈奴单于，自己率大军及南匈奴的八千骑兵，分兵两路，左路绕西海至河云(今蒙古人民共和国吉尔吉斯湖西南)以西，右路沿匈奴河(今蒙古人民共和国扎布汗河)至河云东，几路大军，趁夜合围北匈奴单于。

◎带銎钺◎

北匈奴单于正在与正面进攻的班固交战，突然发觉东、西两翼都有汉军攻击，大惊失色，忙分兵东、西两翼抵抗，怎奈汉军人多势众，有备而来，而北匈奴军是仓皇应战，结果被杀得大败，北匈奴单于身负重伤，在几十个匈奴卫士的掩护下才突出重围，而其余北匈奴军队八千余人全部被歼。

这次进剿后，北匈奴主力被摧毁，只好开始向欧洲迁徙，汉朝的匈奴边患终于得以彻底清除。

兵书上说：战势不过奇正，奇正不变，不可胜穷也。就是说：作战的战术不无"奇"、"正"，可是"奇"、"正"的变化，就无穷无尽。窦宪破匈奴的两次大战都获得了胜利，而且，第二次进攻分兵多路，主战场与两翼战场互相配合，取得了丰硕的战果。

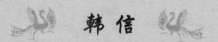

历代名将

韩信

韩信，西汉开国名将，中国历史上伟大的军事家、战略家、统帅和军事理论家。中国军事思想"谋战"派代表人物。

韩信出身于没落贵族家庭，此人性格放纵且不拘礼节，所以没有被举荐为官吏，再加上自己又没有经商的头脑，曾依靠别人度日，为此很多人都十分讨厌他。

韩信谙熟兵法，自言用兵"多多益善"，像明修栈道、暗度陈仓、背水为营、拔旗易帜、半渡而击、四面楚歌、十面埋伏等等这样的军事典故均出自他的作为，这无疑为后人留下了宝贵的财富。

作为军事家，韩信是继孙武、白起之后最为卓越的将领，其最大的特点就是用兵灵活；作为战略家，他在拜将时提出自己对形势的看法，成为楚、汉战争胜利的根本方略；作为统帅，他拥有一人之下，万人之上的地位，率军出陈仓、定三秦、破代、灭赵、降燕、伐齐，直至垓下全歼楚军，可以说是百战百胜，战功赫赫；作为军事理论家，他在被软禁期间与张良一起整理了先秦以来的兵书，这是中国历史上第一次大规模的兵书整理，为中国军事学术研究奠定了科学的基础。

虚实篇第六

开篇 🌀

　　《虚实篇》是一篇妙语连珠的美文。它主要论述了作战中的虚实原则。孙子综合了各方面的因素,科学地提出了"避实击虚"、"出其所不趋、趋其所不意"、"攻其所不守"的战术原则。这里特别强调了在客观军事实力基础上,主观能动作用的创造性发挥,"致人而不致于人","因敌而制胜",是对《形篇》中把握攻守主动权和《势篇》中奇正结合、出奇制胜思想的进一步展开和深化。

原文 🐉

　　孙子曰:凡先处战地而待敌者佚,后处战地而趋敌者劳。故善战者,致人而不致于人。

　　能使敌人自至者,利之也;能使敌人不得至者,害之也。故敌佚能劳之,饱能饥之,安能动之。

　　出其所不趋,趋其所不意。行千里而不劳者,行于无人之地也;攻而必胜者,攻其所不守也;守而必固者,守其所不攻也。故善攻者,敌不知其所守;善守者,敌不知其所攻。微乎微乎,至于无形;神乎神乎,至于无声。故能为敌之司命。

◎汉代和田玉怪兽◎

　　进而不可御者,冲其虚也;退而不可追者,速而不可及也。故我欲战,敌虽高垒深沟,不得不与我战者,攻其所必救也;我不欲战,画地而守之,敌不得与我战者,乖其所之也。

　　故形人而我无形,则我专而敌分。我专为

一，敌分为十，是以十攻其一也，则我众而敌寡。能以众击寡者，则吾之所与战者，约矣。吾所与战之地不可知，不可知则敌所备者多；敌所备者多，则吾所与战者，寡也。故备前则后寡，备后则前寡；备左则右寡，备右则左寡；无所不备，则无所不寡。寡者，备人者也；众者，使人备己者也。

故知战之地，知战之日，则可千里而会战；不知战地，不知战日，则左不能救右，右不能救左，前不能救后，后不能救前，而况远者数十里，近者数里乎？

以吾度之，越人之兵虽多，亦奚益于胜哉？故曰：胜可为也。敌虽众，可使无斗。

故策之而知得失之计，作之而知动静之理，形之而知死生之地，角之而知有余不足之处。

故形兵之极，至于无形；无形，则深间不能窥，智者不能谋。因形而措胜于众，众不能知；人皆知我所以胜之形，而莫知吾所以制胜之形。故其战胜不复，而应形于无穷。

夫兵形像水。水之形，避高而趋下；兵之形，避实而击虚。水因地而制流，兵因敌而制胜。

故兵无常势，水无常形。能因敌变化而取胜者，谓之神。故五行无常胜，四时无恒位，日有短长，月有死生。

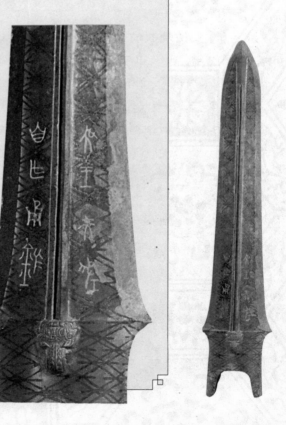

◎吴王夫差青铜矛◎

译文

孙子说：两军交战，总是先进入战场而等待敌人的一方，就显得安逸从容，后到达战场而仓促应战的一方，就必然疲劳不堪。所以，善于指挥作战的人，总是能设法调动敌人而不被敌人所调动。

能让敌人自动进入我预设战场，是用小利引诱的结果；能让敌人不能到达其预定地点，是制造困难破坏的结果。所以，对安逸的敌人应该设法使其疲劳，粮食充足的敌人应该设法使其饥饿，安稳的敌人应该设想让它移动。

我军出击之处，应是敌人无法到达的地方，我军奔袭的地方，应是敌人无法意料的地方。行军千里而不致劳累，是因为行进在没有敌人的地区；发起进攻而必定能取得胜利，是因为攻击的是敌人没有防备的区域；防守必定能固若金汤，是因为防守的是敌人无力攻取的地方。所以，善于进攻的人，敌人不知道应该怎样防守；善于防守的人，敌人不知道应该如何进攻。微妙啊，微妙，使敌人看不到我军的一点形迹！神奇啊，神奇，使敌人听不到我军的一点声息！所以，就能够把敌人的命运牢牢掌握在我们手中。

我们前进，敌人之所以无法抵御，是因为我们攻击的是敌人兵力空虚的薄弱环节；我们撤退，敌人之所以无法追击，是因为我们的行动迅速根本就追不上。因此，如果我军准备出兵决战，敌人主力即使有高高的城墙深深的壕沟可以据守，然而迫不得已出城与我交战，是因为我军攻击的是敌人必须救援的地方；如果我军不准备交战，哪怕是在地上画一个阵形而防守，敌人也无法与我军

◎彩绘俑◎

决战，这是因为我们设法使敌军搞错了进攻的方向(乖、违反、背离)。

所以，设法使敌人显露形迹而使我军隐蔽得无影无形，就可以使我军集中兵力而使敌军兵力分散。我军兵力集一处，敌人兵力分散十处，这就可以用十倍于敌的兵力去攻打敌军，从而形成我众敌寡的绝对优势。既然能造成以众击寡的态势，那么，我军所攻击的敌军就必然势单力弱。我军计划与敌军决战的地方，敌人是不可能知道的，敌人不知道决战的地方，就会在很多地方设防守备；敌人防备的地方多了，兵力就会分散，那

么，我军进攻所面对的敌军数量就少了。所以说，防御了前面，后面的兵力就一定减少，防御了后面，前面的兵力就一定减少；防御了左边，右边的兵力就会减少，防御了右边，左边的兵力就会减少；所有的地方都设防，那么，所有的地方兵力都会减少。兵力缺少，是由于要处处被动地防备别人的进攻；兵力众多，是由于主动设法使得敌人处处要防备自己。

所以，只要知道在什么地方打仗，在什么时候打仗，即使是行军千里也可以前去与敌人交战；如果不知道在什么地方打仗，不知道在什么时候打仗，那么就会陷于左军不能救援右军，右军不能救援左军，前军不能救援后军，后军不能救援前军的被动局面，更何况远的相隔几十里，近的也要相隔几里，又怎样能应付自如呢？

依我的分析来看，越国的军队数量虽然很多，但对决定战争的胜败又有什么帮助呢？所以说，胜利是可以努力争取的。敌军的兵力虽然很多，但是可以让他们无法参与战斗，从而丧失战斗力。

所以，要通过认真的算计(策：古代计算的筹码，引申为计算)来分析敌人作战计划的优劣得失；通过挑动引逗(作：兴起，此指挑动)敌人来了解敌人的活动规律；通过示形诱敌来了解敌人的有利条件和致命弱点；通过战斗侦察来了解敌人兵力部署的虚实强弱。

伪装示形诱敌运用到极点，就能达到不显露一点痕迹的最佳境界。不露痕迹，使深藏于我军内部的间谍不能看到蛛丝马迹，使很高明的敌军将领都不能想出应付的方法来。把根据具体情况而采取灵活的战术战胜敌人的事实摆在众人面前，众人也不能清楚

◎安徽亳县大关帝庙戏楼彩绘木雕局部 ◎

其中的奥妙所在；人们都知道我军取胜的战术，却不能真正知道我军所用战术必然克敌制胜的奥妙。因为每一次作战取胜所采用的战术都不是简单的重复，而是针对不同的敌情灵活运用、变化无穷。用兵打仗的规律就像水的流动规律一样。水流的规律是避开高处而流向低处，用兵打仗的规律是避开敌军有实力的地方，攻击其虚空的地方。水根据地势的高低而决定其流向，用兵打仗则要根据敌人的虚实来选择不同的制胜方法。所以说，用兵打仗没有一成不变的形式，水流也没有固定不变的形态。能够根据敌情的变化而采取相应战术取得胜利，就可以说是"用兵如神"。

◎金腰带及圆形铜扣饰◎
这是一条用黄金锻打而成的腰带，其上錾刻卷云纹和曲线纹。圆形铜扣饰正面内凹如浅盘，中央嵌乳凸形红玛瑙，其外镶嵌绿松石和玉环。

　　"五行"（金、木、土、水、火）相生相克，没有哪一行可以永远占优势；"四时"（春、夏、秋、冬）轮回更替，没有哪一季可以永远固定不动。一年之中，白天有时长，有时短；一月之内，月亮也是有盈有亏、有明有灭。（月尽为晦，月初为朔，月圆为望。月尽即说月死了，月初即说月又生了）。

评点

　　《虚实篇》是一篇妙语连珠的美文。它主要论述了作战中的虚实原则。虚，空虚，在作战中主要指兵力分散而薄弱；实，充实，主要指兵力集中而强大。但虚实不仅指兵力的强弱，还包括主动与被动、有备与无备、整治与混乱、勇敢与怯懦、饱佚与饥疲等等方面。孙子正是综合了各方面的因素，科学地提出了"避实击虚"、"出其所不趋，趋其所不意"、"攻其所不守"的战术原则。这里特别强调了在客观军事实力基础上，主观能动作用的创造性发挥，"致人而不致于人"，"因敌而制胜"，是对《形

篇》中把握攻守主动权和《势篇》中奇正结合、出奇制胜思想的进一步展开和深化。

"兵者，诡道也"。兵不厌诈，出奇制胜，是孙武军事思想的精华。然而，如何用诈？诈从何来？如何用奇？奇出何处？这一切都是需要深入研究、继续探讨的，千百年来受到所有军事家和将领们的全力关注。《虚实篇》正是对这一问题的深入探讨。

在孙武看来，战场上的所谓用诈，说到底就是以虚为实、以实为虚，借以引诱敌人，调遣敌人（"动敌"）；所谓出奇，其关键所在是避实就虚，以实击虚，出其不意、攻其不守，最后克敌制胜。因此，虚

实原则，便是用兵的根本原则之一，是保证战争胜利的法宝。孙武对虚实原则的论述，系统而完整。

首先，指出实行虚实原则的一般前提。他开篇即强调，军队应事先进入战场，占据有利位置，以逸待劳，牢牢把握住战争的主动权，是谓"不致于人"。同时，善于运用"利"、"害"的引诱、威迫，调动敌人，使敌军按我们的意图行动，并使其由逸变劳，由饱变饥，由安变动，大大消耗削弱其战斗力，是谓"致人"。"致人而不致于人"，是实行虚实原则的前提，只有做到使敌军处处受制于我，而我却时时不受制于敌军，才能真正拥有战争的主动权，才能创造以实击虚的良好战机，虚实原则的实行才有可能。"致人而不致于人"，更是揭示战争胜败关键的至理名言。唐太宗李世民便说：古代兵法千章万句，最重要的无过于"致人而不致于人"（《李卫公问对》）。

其次，提出并论述了实行虚实原则的基本方法。就一般的军事行动来说，无论是出兵、进击，还是撤退、防守，甚至于千里奔袭，都应该避敌之实、就敌之虚，"出其所不趋，趋其所不意"，"行于无人之地也"。就用兵的攻守而言，攻，应该是以实攻

虚，"攻其所不守"、"攻其所必救"；守，应该是避实就虚，"守其所不攻"、守其"不知其所攻"；从而做到"攻而不可御"、"退而不可追"，"攻而必胜"、"守而必固"。就兵力的运用来说，应该努力使我军的兵力相对集中而形成压倒对方的绝对优势，而使敌军兵力尽可能分散而处于劣势，即"我专为一，敌分为十，是以十攻其一也，则我众而敌寡"，从而确保以实击虚一举成功，"兵之所加，如以碫投卵"（《势篇》）。

第三，论述战争中虚实的判定与创造的要领。集中兵力、以实击虚，或者隐蔽自己、避实就虚，或者化敌之实为虚，化我之虚为实，是克敌制胜的法宝。但它必须建立在对虚与实的真正了解的基础之上，真正做到以我之实击敌之虚，反之，将导致巨大的灾难。因此，知虚实，就显得相当重要。为此，孙武提出了"形人而我无形"的基本方法，从隐蔽自己、侦察敌情和促进虚实转化三个方面，论述了"因形而措胜"的战术要求。

孙子在论述善于运用虚实之道而攻守皆备时，充满激情地赞叹曰："微乎微乎，至于无形；神乎神乎，至于无声。"于无形无声中制敌于死地，是虚实之道的最高境界，神妙无比。而"无形"、"无声"正是对隐蔽自己的兵力和意图的最高要求。隐蔽自己要做到不显一点形迹，不露一点声息，"深间不能窥，智者不能谋"。这样，敌人对我军的情况一无所知，与我作战就像瞎子、聋子一样，我进

攻时，"敌不知其所守"，我们防守时，"敌不知其所攻"、"乖其所之"，造成敌军的"无斗"。隐蔽自己在于很好地保存实力、迷惑敌人，以便伺机而动，乘虚而克敌制胜。同时，隐蔽自己也应避实就虚，才能有效地达到保存实力，以逸待劳的目的。

因此，不论是主动攻击敌军，还是退后保存自己，准确无误地掌握敌军虚实之情，便显得十分重要。侦察敌情而确知虚实，是用兵的重要组成部分。孙子于此提出了侦察虚实的四种方法：策、作、形、角。"策"，古代的一种计算工具，故策亦有计算筹划的意思。通过认真的分析筹算，了解敌军的战略战术，判断其优劣得失，以便我军制定相应的对策。这是未战之前即应该认真进行的。"作"，兴起、假装之义；这里是指以假动作去挑动敌军，用诈术引诱敌军，从而摸清敌军行动的规律。"形"，这里用作动词，是显露、表现的意思；"形之"即"使之形"，通过一定的手段(譬如"利之"、"害之"、"示形诱敌"等)使敌军的情况暴露，从而了解敌军的有利条件和致命弱点。"角"，较量；通过小规模的试探性攻击，进行火力侦察，从而判断敌军兵力的强弱及其部署状况。

◎铜戈◎

虚与实，不仅是军事实力的客观反映，更是将帅发挥聪明才智，"因势制权"、"因敌制胜"，主观努力的结果，亦即是说，在善于用兵的将帅的运筹调度之下，虚实可以朝有利于自己的方向发生转化，化敌实为敌虚，化我虚为我实。一个真正优秀的将帅，仅仅能利用现成已有的虚实，是远远不够的，更应该能够通过自己的努力调动敌军，削弱其战斗力，制造出更多更严重的虚来，同时使我军的兵力得以加强(相对或者暂时的)，形成更有力的实，获得特定情况下的绝对优势。强调虚实的转化和虚实互用，在孙武的虚实原则中占有很大比重，孙武对此表现了特别的重视。从一开篇的"以佚待劳"，到"逸能劳之"、"饱能饥之"、"安能动之"，再从"出其所不趋，趋其所不意"，到"攻其所必救"、"乖其所之"，等等，说的都是将敌军之实化为虚，我军则借机避实击虚。而孙武最得意的地方，是通过"形人而我无形"，即成功地隐蔽我军的兵力和战术意图、充分地暴露敌军的兵力部署和优劣短长，做到兵力上的"我专而敌分"，战地、战

◎秦始皇陵兵马俑◎

日上的"我知敌不可知"。"我专敌分"，便可"以十攻其一"；"我知敌不可知"，则敌"无所不备"、"无所不寡"，前后左右不能相救，更何况"远者数十里，近者数里"。如此，"敌虽众，可使无斗"，实便化成了虚。"我众敌寡"，我实敌虚，岂有不胜之理！

虚实互用、虚实转化，与奇正相依，奇正之变一样，都充满了辩证法的理性智慧，闪烁着启人心智、明人眼目的灿烂光芒。

第四，概括运用虚实原则的一般规律："兵无常势"，"因敌变化而取胜"。孙武用了一个十分形象也十分浅显易懂的比喻——"兵形像水"，说明战场上的情况千变万化，战术战法的运用要根据情况的变

化而随机应变，只有灵活地运用适当的战术战法，才能取得胜利。"因形而措胜"、"因敌而制胜"，这就是用兵如神。同时，孙子反复告诫人们，战争中没有千篇一律的定规和一成不变的模式，任何凝固僵化的套用和机械刻板的照搬，都与胜利无缘。"水无常形"、"五行无常胜，四时无恒位，日有短长，月有死生"，变化，是大自然的基本规律，战争亦不能例外，所以，"兵无常势"，"应形于无穷"。

古希腊哲学家赫拉克利特说："人不能两次踏入同一条河流。"

古代中国军事家孙武说："兵无常势，

水无常形。"

同时代两位伟大的天才，尽管一东一西远隔千山万水，却同时用水来揭示事物都在不断地发展变化的客观规律，惊人地相似，惊人地深刻，至今仍令人拍案称奇，也使人回味无穷。孙子的智慧，不仅表现在神奇微妙的兵法中，也洋溢于精美绝伦的文字上，将《虚实篇》当做一篇优美的赋去读，相信读者从中获得的美感体验，不会少于宋玉之辞、司马之文，而从中得到的人生启迪和智慧，恐后世之《秋声》、《赤壁》亦无可匹敌。

古往今来，运用虚实之道克敌制胜的军事家和战例不胜枚举，然而，最精彩的却莫过于孙武的后代、战国时著名的军事家孙膑设计胜庞涓。

庞涓与孙膑原在一起学习兵法，庞涓做了魏国大将后，自知才智不及孙膑，为防孙膑日后成为自己的劲敌，便假意将孙膑请到魏国，然后设计陷害，使孙膑遭受刖刑（即割去双脚）。孙膑在魏忍辱负重多时，终于设法逃到了齐国，并受到齐威王

的赏识。

公元前352年，魏国借口收复被赵占领的属国中山，以庞涓为帅发兵进攻赵国，包围了赵都邯郸。赵国求救于齐国，齐威王用田忌为大将、孙膑为军师率兵救赵。田忌准备直奔邯郸与魏军主力交战，孙膑却提出"批亢捣虚"、"疾走大梁"的战略，迫使魏军回师救援，而解邯郸之围。田忌依计而行，派少量兵力攻打襄陵，摆出进攻魏都大梁（今河南开封）的阵势，而将主力驻扎在襄陵与邯郸之间。庞涓攻邯郸即将获胜，忽听齐军威逼国都，便急调主力回援大梁。此时，齐军早已占据了地势险要的桂陵，养精蓄锐，以待魏军。魏军攻赵经年，兵疲将劳，长途跋涉

更使士气低落，而齐军以逸待劳，又占有先机之利，士气正旺。两军遭遇桂陵，魏军仓皇应战，不过十数回合，便死伤两万余人，庞涓率残部落荒而逃，方才保得性命。桂陵一战，庞涓惨败，邯郸之围遂解。这就是频繁出现在史籍中的"围魏救赵"。

十一年后，庞涓与孙膑又再交手，这一次却没有桂陵之战那样幸运了。

公元前341年，魏国以太子申为帅、庞涓为大将起兵进攻韩国，韩国急忙向齐国求救。齐宣王召集大臣研究对策。相国邹忌主张不救，认为韩魏相争，一死一伤，正于齐有利。大将田忌主张早救，若魏胜，则必定殃及齐国。孙膑既不赞成不救，也不支持早救，而主张先答应韩国的求救要求，以增进韩国的信心。韩国必定全力抵抗，以待援军，而魏国必定全力攻打，以求速胜。两军苦战，消耗必大，其时，齐军乘虚进击疲惫之魏军，可一举而下，韩国之危可解，"攻敝魏以存危韩"，可事半而功倍。齐宣王闻言拍手叫好，立即下令依计而行。果然，韩国听说齐军将要救援，全力抵抗，虽五六次交锋均遭败绩，但魏军也已十分疲惫，攻击力锐减。此时，齐军以田忌为大将、田婴为副将、孙膑为军师起兵救韩。孙膑又使出"围魏救赵"的老招数，率军直逼大梁。庞涓闻讯立即撤兵韩国，回师追击齐军。齐军进入魏境之后，孙膑献"减灶示弱"之计，以迷惑魏军。随后而至的庞涓，见齐军旧营地遗有十万之灶，不禁大吃一惊，遂觉齐国有数十万之众，不可小视；第二日再数，却只有五万之灶；第三日更少至三万灶。庞涓见状，不禁大喜，认定齐军怯战，入魏境三天便逃亡过半。便不顾太子申的劝诫，只带挑选的两万精兵，倍道兼行，快速追赶齐兵。

◎曲头铜斤◎

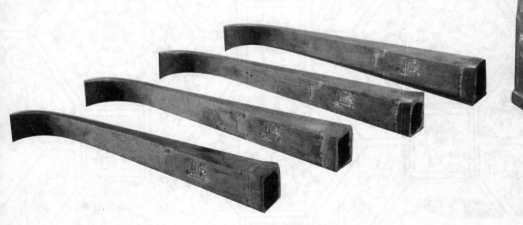

时刻关注魏军行动的孙膑，得知庞涓已过沙鹿山，料定傍晚必至马陵道（今河北大名东南）。马陵道处于两山之间，道狭谷深，山坡林木茂密，是打埋伏的理想战场。孙膑命士兵将道旁树木全部砍倒，横于道路之上，只留一棵大树，在削去树皮处写上"庞涓死此树下"六个大字。同时挑一万名弓弩手埋伏道路两旁，吩咐他们，只要看见树下有火光，便一齐放箭；又命田婴率一万兵马在离马陵道三里处埋伏，但等魏军一过，便从后截断退路。

庞涓追至马陵道，恰是日落西山。见路中横挡大量树木，庞涓只道是齐军惧战，设计阻其快进，便命士兵搬开障碍，继续追击。这时，忽见道旁孤立一树，树上似有字形，因夜昏无月，便命士兵点火来照。岂料，火光一起，万箭齐发，庞涓身负重伤，魏军一时大乱。庞涓自知求生无望，便引剑自刎。随后而行的太子申听得前军有失，急令大军停止前进，就地安营，没提防田婴率齐兵从身后杀来，魏军一时惊慌失措，无人敢战，四散逃生。田忌与孙膑乘势掩杀，直杀得魏军尸横遍野，太子申被生擒。败讯传至魏国，魏惠王见大势已去，不得已向齐国称臣求降了。孙膑两斗庞涓，皆获全胜，仰仗的是乃祖之虚实之道。"避实而击虚"、"攻其所必救"、"以逸待劳"、"知战之地，知战之日"而敌不可知，"形人而我无形"、"致人而不致于人"等，都被孙膑创造性地发挥运用到极致；"围魏救赵"、"马陵道之伏"成为千古美谈，后世兵家之楷模。

◎汉代彩绘陶壶◎
饰纹样又富有较强的节奏感和韵律美。

战例

曹操西攻解东围

东汉末年，政治黑暗，中央政府名存实亡。各地军阀相互攻伐，混战不休，出现了"白骨露于野，千里无鸡鸣"的惨烈景象。

公元200年，曹操和袁绍展开激战，这就是中国历史上著名的官渡之战。这里说的是这一战的前奏——白马、延津之战。

这一年的二月，北方还未解冻，天还很寒冷。但袁绍为了先声夺人，亲率十万大军抢占了黄河北岸的黎阳要津(今河南浚县东北)，他先派大将颜良进攻黄河南岸的白马城(今河南滑县东北)，然后，准备全军渡河南进，直捣许昌。

白马被围的消息很快传到了曹军大营，曹操心急如焚，因为进攻白马的是河北名将颜良，派别人去恐怕都不是他的对手。曹操左思右想，只得亲自出马。正待起兵时，忽然帐下一人高声说："曹公且慢，我以为此时不宜出兵。"曹操一看，说话的是谋士荀攸。

曹操厉声叱道："我大军即将出征，你何故出言阻拦，乱我军心?"

荀攸回答道："敌人兵多，我们兵少。以少击多，等于是拿鸡蛋碰石头，那是很危险的!"

曹操是精通兵法的人，听了这话，心中猛地一惊，口气大为缓和，问道："依你的意思，我们又该如何呢?"

荀攸从容地回答说："两军相争，如果单凭勇力，那不过是逞匹夫之勇，没有什么了不起的，更何况我们的实力还远不如人家。我建议分

一小部分兵力到白马西边的延津,佯装渡河北上,袭击袁绍的后方。袁绍得知后,必由黎阳赶来阻拦。到那时,主公可亲率精兵趁其不备,突袭白马袁军,来他个声东击西……"

"好主意! 先生不愧是我的智多星。"曹操采纳了荀攸的计策,派兵飞奔延津,似乎要强渡黄河。

探子把曹军要从延津渡河的情况报告给了袁绍。袁绍果然中计,急忙率大军前去堵截。而这时,曹操却亲率轻骑掉头东进,日夜兼程,神不知鬼不觉地赶到白马,在离城十里处扎下营寨,此时颜良仍旧被蒙在鼓里。

第二天天刚亮,曹操突然发起攻击。颜良到这时才惊慌起来,仓促应战,由于事先没有思想准备,将无斗志,军无士气。曹军先锋关羽骑着赤兔马如旋风般冲到颜良面前,可怜颜良还没有看清来者是谁,就被关羽一刀斩于马下。袁军见关羽如此神勇,立刻被吓得魂飞魄散,哪里还敢恋战,纷纷后退。曹操见了把马鞭一指,全军冲杀过去。袁军抵挡不住,纷纷束手就擒,白马之围被解。

白马之围暂时被解,但袁绍的威胁仍没有解除。

再说袁绍发觉自己中计后,恼羞成怒,不听谋臣的劝阻,下令全军渡河,以文丑为先锋,追击曹操。袁军一直追到延津以南,才看到曹军人马掀起的尘土。而这时曹军正以逸待劳,等着袁军来自投罗网呢!

◎安徽歙县民宅陶制瓦脊兽◎

曹操下令,所有的骑兵都把马鞍卸下来,放马去吃草。又令步兵把缴获来的战利品扔到前面的路上。众将领和士兵接到这个命令,都不解其意。

不一会儿,袁军大部队先后赶到。曹操手下将领请求出战,焦急地说:"现在可以出击了?"

"不行,再等一等。不听号令者,斩!"曹操说。

袁军见路上这么多东西,纷纷动手抢了起来。曹操见时机成熟,这才下令发起攻击。袁军大败,主将文丑也被斩杀。

白马、延津之战,劣势的曹军战胜了优势的袁军,这不是偶然的。曹操运用了西攻解东围的计策,又故意装出力量薄弱的样子,引敌人上钩,这实在是很高明的计策。

历代名将

项 羽

项羽,中国古代著名军事家、战略家。中国军事思想"勇战"派代表人物,众人皆知的"西楚霸王"。

秦末,陈胜、吴广在大泽乡揭竿而起之后,二十四岁的项羽随叔父项梁在吴中举兵响应,投身到轰轰烈烈的秦末农民起义的洪流之中。楚、汉战争中,项羽破田荣,救彭城,救荥阳,夺成皋,特别是指挥三万楚军在彭城之役中击溃刘邦率领的十万汉军,是军事史上以少胜多的著名范例。

项羽是一位杰出的军事统帅,他能征善战,战场上豪气盖世,叱咤风云,一生大战数十次,多获胜利。所以,苏洵称赞他"有百战百胜之才"。

然而,项羽又是一位悲剧式的人物。秦朝灭亡后,他自称西楚霸王,忙着分封诸侯,扶植六国贵族的残余势力,违背了人民要求统一的愿望,造成了混乱割据的局面。另外,项羽自恃武功以威慑诸侯,缺乏远见,不争取同盟,又不能用人,招致众叛亲离,军心涣散。军事上,他没有牢固的后方基地,没有充足的粮饷和兵源,虽然屡战屡胜,反而由盛而衰。所以,虽然项羽具有杰出的军事指挥才能,最终也难以避免失败后自刎乌江的结局。

军争篇第七

　　军争，即两军相对而争利。本篇论述的主要问题，正是如何先敌争取制胜的条件，取得有利的作战地位，对军争的意义、军争的利弊、军争的原则和基本战术，做了系统精辟的分析论述。

原文

　　孙子曰：凡用兵之法，将受命于君，合军聚众，交和而舍，莫难于军争。军争之难者，以迂为直，以患为利。故迂其途，而诱之以利，后人发，先人至，此知迂直之计者也。

　　故军争为利，军争为危。举军而争利，则不及；委军而争利，则辎重捐。是故卷甲而趋，日夜不处，倍道兼行，百里而争利，则擒三将军，劲者先，疲者后，其法十一而至；五十里而争利，则蹶上将军，其法半至；三十里而争利，则三分之二至。是故军无辎重则亡，无粮食则亡，无委积则亡。

　　故不知诸侯之谋者，不能豫交；不知山林、险阻、沮泽之形者，不能行军；不用乡导者，不能得地利。故兵以诈立，以利动，以分合为变者也。故其疾如风，其徐如林，侵掠如火，不动如山，难知如阴，动如雷霆。掠乡分众，廓地分利，悬权而动。先知

◎三棱箭头◎

迂直之计者胜，此军争之法也。

《军政》曰："言不相闻，故为之金鼓；视不相见，故为之旌旗。"夫金鼓旌旗者，所以一人之耳目也。人既专一，则勇者不得独进，怯者不得独退，此用众之法也。故夜战多金鼓，昼战多旌旗，所以变人之耳目也。

三军可夺气，将军可夺心。是故朝气锐，昼气惰，暮气归。善用兵者，避其锐气，击其惰归，此治气者也。以治待乱，以静待哗，此治心者也。以近待远，以逸待劳，以饱待饥，此治力者也。无邀正正之旗，勿击堂堂之陈，此治变者也。

故用兵之法，高陵勿向，背丘勿逆，佯北勿从，锐卒勿攻，饵兵勿食，归师勿遏，围师必阙，穷寇勿追。此用兵之法也。

译文

孙子说：用兵的一般规律，将帅领受国君的命令，从征集民众、组编军队，直至到与敌军列阵对峙(舍：驻扎)，这中间没有比争取有利的先机优势更困难的了。争夺有利条件之所以困难，就在于要把迂回弯曲的道路变为直道捷径，把不利的因素变为有利的因素。所以，设法使敌军的进兵道路变得迂回弯曲，用小利引诱敌人上当而改变行军路线，就能做到我军虽后于敌军出发，却能先于敌军到达战场，占领有利阵地。这才是真正懂得以迂为直计谋的将帅。

争夺有利条件，既有获得先机之利的可能，也有导致危险局面的可能。如果全军出动，携带所有装备辎重去争夺先机之利，往往无法按时到达预定地域；如果丢下装备辎重去争夺，就会损失装备辎重。因此，让将士卷起盔甲轻装前进，昼夜不停，一天走两天的路程，急行百里去争先机之利，那么，三军的将帅都可能被敌军所俘虏，健壮的士卒先到，疲弱的士卒后到，结果是

◎汉代画像石拓本◎

一般只能有十分之一的兵力到达预定的目的地。用这样的方法，急行五十里去争利，那么，前军的将领就会遭受挫败，兵力也只有一半可以按期到达。同样，急行三十里去争利，也只能有三分之二的兵力能如期到位。要知道，军队没有装备辎重就会被消灭，没有粮食供应就不能生存，没有军用物资的储备就必然失败。

不了解诸侯列国的战略意图，就不能与其结交；不了解山林、险阻、沼泽等地形，就不能行军打仗；不利用当地人做向导，就不能得到地利。所以说，用兵打仗依靠诡诈多变来取胜，根据是否有利来决定自己的行动，按照分散或集中的方式来变换战术。军队的行动，迅速时像疾风一样急骤，缓慢时像森林一样轻摇不乱，进攻时像烈火一样猛烈，防御时像山岳一样稳定，隐蔽时像浓云满天、不可揣测，运动时像迅雷一样不及掩耳。掳掠敌国的乡邑，要兵分数路，开拓疆土，要分兵扼守要害之地，权衡利害关系，而后相机行动。只有事先懂得"以迂为直"战术的将帅，才会赢得胜利，这是争夺先机之利的基本原则。

《军政》（古代兵书）中说："作战中，用语言指挥，众人听不清，所以要设置金（金属制成的打击乐器）鼓；用动作指挥，众人看不见，所以要设置旌旗。"金鼓旌旗的作用，是用来统一军队上下的行动的；全军上下已经统一，那么，勇敢的士卒就不能单独冒进，怯懦的士卒也就不能独自后退。这是指挥大部队作战的方法。因此，凡夜间作战多用火光、锣鼓，白天作战多用旌旗指挥，这都是根据人们视听的需要而变换的。

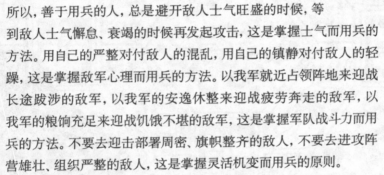

对于敌军，可以使其士气衰落，对于敌军将领，可以使其决心动摇。一般情况下，初投入战争时(朝：一日之初，此处用以指代初战)士气饱满旺盛，经过一段时间士气就会逐渐懈怠减弱，最后，士气便完全衰竭，人人思归了。所以，善于用兵的人，总是避开敌人士气旺盛的时候，等到敌人士气懈怠、衰竭的时候再发起攻击，这是掌握士气而用兵的方法。用自己的严整对付敌人的混乱，用自己的镇静对付敌人的轻躁，这是掌握敌军心理而用兵的方法。以我军就近占领阵地来迎战长途跋涉的敌军，以我军的安逸休整来迎战疲劳奔走的敌军，以我军的粮饷充足来迎战饥饿不堪的敌军，这是掌握军队战斗力而用兵的方法。不要去迎击部署周密、旗帜整齐的敌人，不要去进攻阵营雄壮、组织严整的敌人，这是掌握灵活机变而用兵的原则。

因此，用兵的基本原则是：敌人占领高地时不要去仰攻，敌人背靠高地时不要正面攻击，敌人佯装败退时不要跟踪追击，敌人的精锐部队不要贸然攻打，敌人的诱兵不要理睬，对撤退回国的敌人不要半途阻击，对敌人实行包围时要有缺口，对陷入绝境的敌人不要过分逼迫。这些都是指挥作战最基本的原则。

评点

两军相对而争利，其关键是力争掌握战场的主动权。因而，如何先敌占领战场要地，造成有利态势，从而掌握有利战机，是两军相争中最重要的问题，同时，也是最困难的问题。军争之难，难就难在"以迂为直，以患为利"。"以迂为直"，就是要设法把自己要经过的迂回弯曲的进军路线，变成直通目的地的捷径；"以患为利"，就是要将对自己不利的负面因素，设法变成有利的正面因素。"迂"与"直"、"患"与"利"，是一对不可调和的矛盾，没有丝毫的共通之处，而孙武则要它们变化成自己的对立面，这当然不能说不难，但也决不是不可能的事。孙武提出了自己的办法：设法使敌军的进兵路线变得迂曲，引诱敌人改变本来近直的行军路线(一说是我军故意迂回绕道，并以小利引诱迟滞敌军的进程)，这样，敌人的路程便相对变得迂曲而延长，而我军的路程同时便相对变得直坦而缩。于是，后于敌人出发，而先于敌人到达预定战场，占领有利位置，便成为可能。

直与曲，相应于近与远。直近、曲远不仅是空间概念，也与时间紧密相连，而一旦与战争双方的兵力部署虚实相结合，加之以主观的能动作用，矛盾的双方就有可能向相反的方向转化；远而虚者，易进易行，机动快，费时少，成了实际上的近；近而实者，难进难行，机动慢，费时多，成了实际上的远。孙武的"迂直之计"，其中深藏着辩证法的精义，同时颇有些相对论的味道。

◎铜戈 战国◎

军争对战争的胜败作用巨大，因而，凡用兵者都极其重视。但是，军争有利亦有弊，不能只看到有利的一面而忽略了危险的一面。有利的一面容易被人理解，所以孙武着重具体分析了弊的一面。他以军队强行军为例，具体描述了军事的两难境况：携带全部军需物资去争先机之利，往往不能达到预期目的；舍弃军需物资去争先机，虽有可能占得有利地位，但后果更惨。孙武通过细致的估算和科学的分析，指出捐弃辎重而趋敌的结果，有可能是损兵折将，甚至全军覆灭。孙武的用意十分明显，强调甚至有些渲染军事之危，目的在于警醒用兵者，应对军争之危有高度的警惕，并在实践中努力杜绝它的发生，从而充分把握和获取军争之利。真正想说的，却不直接说出，又可以使人意会得出，这就是为文的智慧，也可算作"迂直之计"之一种，"以患为利"也。

作兵法，是为了用的。所以，《军争篇》

在提出"迂直之计"后，用大量篇幅详细论述了军争的基本原则和主要方法。

知彼知己是前提。即知外部情况——诸侯之谋、地形特征、乡导指引，知自己军队的实力素质——疾与徐、侵掠与隐蔽、动与不动，都要达到相当的程度，符合要求；诡诈多变、悬权而动的智慧和能力。只有备具了这些基本的条件，才能实施迂直之计而获胜，这是军争必须遵循的基本原则，违背它，得来的就极可能是"军争为危"。

主要方法有："用众之法"——运用金鼓、旌旗指挥军队统一行动；

"治气之法"——避其锐气，击其惰归。春秋时齐鲁战于长勺，曹刿是治气高手；

"治心之法"——以治待乱，以静待哗。在心理上、情绪上占据优势，取而胜之；

"治力之法"——以近待远，以逸待劳，以饱待饥。在体能实力上超过敌人，以实击虚；

"治变之法"——"无邀正正之旗，勿击堂堂之陈"（陈，古通阵）。意即敌旌旗零乱无序、阵营混乱动摇，说明敌情已变，方可攻击而胜。

反面的有"用兵八戒"，即在八种情况下，不可轻易去攻敌军——高陵、背丘之敌，有地势之利；佯北、饵兵之敌，诈在其中；锐卒气盛，归师情切；围师太严，恐作困兽之斗，穷寇猛追，迫其破

釜沉舟。这是用兵者须切记不能忘的根本法则。

　　一篇之中，"迂直之计"是其主旨。在论述了"奇正"、"虚实"之后，孙武进而阐解"迂直"，其中蕴含着严密的逻辑联系。无论是出奇制胜，还是避实击虚，都必须以迂直之计为前提条件，或者说，它们本身就是迂直之计的组成部分或一种结果的表现。这种安排，颇具匠心。

　　同时，孙武于此提出了"治气"、"治心"的战术，看到了参与战争的主体——人的情绪、心态，对于战争胜败的重要作用，并提出相应的制胜方法，虽显得过于浅近、极不完善，但实质上与现代战争注重心理战术的运用，有某些相通之处，在当时已是十分难能可贵的了。而其"治气"之"避其锐气，击其惰归"，更是至深至精至切至妙之至理名言，至今仍被人们奉为圭臬，视若指南。

◎玉鹰纹兽面纹圭◎
玉质呈黄褐色。圭角残缺，似经修整。一面阴线刻展翅立鹰，一面阴线刻兽面纹，中部阴线刻两组直线纹，下部对穿一孔，孔内有台痕。

　　当然，孙武并非完美无缺，譬如"八戒"之后三法，则过于机械呆板，也不符合战争史的实际。由于孙武所处的时代及其时战争的特点所限，得出如此结论自有孙武自己的道理，这丝毫不能影响孙武个人的伟大，更无损《孙子》的崇高地位。事实上，大量的古今战例，都充分证明了"迂直之计"是一条克敌制胜的永恒原则。

战例

汉中争夺战

　　赤壁之战后，魏、蜀、吴三国鼎立之势形成。当时占据巴蜀的刘备力量地盘都还较弱小，又被曹操占了汉中，直接威胁刘备在四川的统治权和稳定性。于是，公元217年，刘备亲率大军进攻汉中，意欲占据这个意义重大的战略要地，守住四川的东北门户，并造成进可直攻关中,退可固守成都的有利形势。

刘备大军直抵阳平关,想一举攻下这一战略要点。阳平关魏将夏侯渊据险而守,顽强抵抗,刘备选精兵数万轮番攻战,无奈阳平关易守难攻,魏军能攻善守,两军在关前相持一年有余,始终不能分出胜负。

第三年正月,刘备经过充分准备,决定采取行动改变这种长期相峙的局面。刘备率蜀军绕开地势险要、防守严密的阳平关,南下渡过汉水,避开大道,沿南岸山地东进,神不知鬼不觉突然来到定军山,并一举攻占了定军山。定军山是汉中西南的门户,地势险要,关系重大,刘备占领了定军山,就打开了直通汉中的道路,并对阳平关曹军侧翼的安全造成严重的威胁。夏侯渊被迫将防守阳平关的兵力东移,与刘备争夺定军山,曹军据险固守之势被打乱。为防刘备北上或继续东进,曹军在汉水南岸与定军山东侧,建营垒、修围寨、设鹿砦(一种栅栏式的防御工事)。刘备乘虚夜攻曹营,火烧南围鹿砦。夏侯渊命张郃守东围,自率轻骑去救援南围。刘备见机,调动军队急攻东围,并派黄忠率精兵埋伏于东围、南围之间的险要地段。东围张郃不敌刘备军的猛攻,夏侯渊又被迫急速回军支援东围。此时,黄忠以逸待劳,等夏侯渊率军而过,突然居高临下袭击行进中的曹军。夏侯渊毫无防备,仓促应战,很快便溃不成军,夏侯渊被黄忠斩杀,曹军死伤惨重,四散而逃。张郃拼死逃出东围,退守阳平关。曹操得知汉中战场失利,亲率主力从长安出斜谷,迅速赶赴阳平关,救援汉中。刘备夺取并保住了定军山,改变了从前的被动局面,胜利后的蜀军将士

士气旺盛，刘备也对战局信心十足。面对曹操的增援，刘备并不畏惧，以逸待劳。曹操急于尽快收复定军山，稳定汉中局势，而刘备却不慌不忙，据险而守，无论曹军如何挑战叫阵，蜀军就是不与曹军决战。曹军求战不得，情绪急躁，刘备则"以静待哗"，寻机扰敌。刘备派遣多股游兵，深入曹军后方进行袭扰，劫其粮草，断其交通，相机消灭小股队伍。曹军向前，攻险不胜，求战不得；后方又屡遭侵扰，军需供应受破坏，粮食短缺，军心恐慌，很快兵无斗志，士气衰竭，临阵脱逃者日益增加。僵持一月多，曹操见取胜无望，不得不放弃汉中，全军撤回关中。

刘备占据汉中后，不久又派刘封、孟达等攻取了汉中郡东部的

◎防卫障墙◎

房陵(今湖北房县)、上庸(今湖北竹山西南)等地,势力得到了扩大和巩固。至此,汉中争夺战以刘备获全胜而告结束。

刘备的胜利,以摆脱阳平关前的被动局面开始,到夺取定军山已基本奠定,其中关键的因素,是他采用"迂直之计",放弃初战时以硬碰硬的战术方法,通过长途迂回,占领了更为重要的定军山,取得了战争的主动权,是"以迂为直,以患为利"的很好范例。定军山与曹军对阵,刘备又采用了正确的战术,主力固守险要而不出战,游兵偷袭敌军后方,守"以逸待劳""不动如山",迂回"难知如阴",袭敌"其疾如风",趁敌东西奔袭救援之机而设伏兵攻击,不仅可"以逸代劳",而且做到了"以治待乱"、"动如雷震"。刘备得汉中,得之于孙武之"军争之道"。

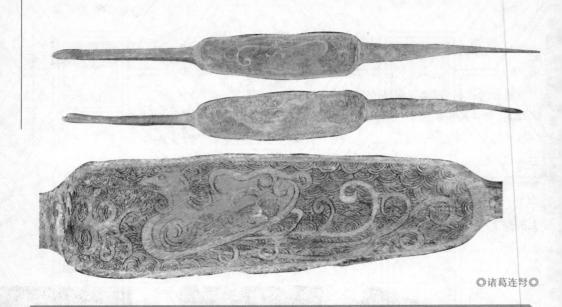

◎诸葛连弩◎

历代名将

霍去病

霍去病，西汉名将（公元前140年～公元前117年），军事家，抗击匈奴的杰出将领。汉代名将卫青的外甥，精于骑射，善于长途奔袭。

霍去病自幼便深受舅舅卫青的影响，希望有朝一日能够建功立业。公元前123年，汉武帝策划了针对匈奴的反击战——漠南之战，不到十八岁的霍去病主动请缨，汉武帝命其随军出征。卫青拨给霍去病八百骑兵，让其在茫茫大漠中找寻敌人的踪迹，他的"长途奔袭"遭遇战首战告捷，斩敌二千人，匈奴单于的两个叔父一死一俘，霍去病的八百骑兵则全身而退，无一损伤。

公元前119年，漠北大战，霍去病的军事生涯达到了巅峰，在深入漠北寻找匈奴主力的过程中，霍去病率部奔袭两千多里，歼敌七万多人，俘虏匈奴王爷三人，以及高官八十三人。汉军一路追杀到位于今蒙古境内的狼居胥山，并在山下举行了祭天地的仪式，刻石记功。

然而天妒英才，两年之后，二十四岁的霍去病就因病去世了。汉武帝痛失良将，下令将霍去病的坟修成祁连山的模样，以彰显他力克匈奴的绝世奇才。据说汉武帝曾经为霍去病修建过一座豪华的府亭赏赐给他，却被霍去病拒绝了，理由只有八个字："匈奴未灭，何以家为？"这八个字也刻在了历朝历代为保家卫国而奋勇拼搏的爱国将士们的心里。

九变篇第八

开篇

　　《九变篇》的核心是"变"，即强调在作战过程中，将帅应根据实际情况权谋机变，机智灵活地运用战略战术，随机应变，不可墨守成规。变的前提是实践中遇到的具体情况，变的主体则是统领军队的将帅，"将通于九变之利者，知用兵矣"。

原文

　　孙子曰：凡用兵之法，将受命于君，合军聚众，圮地无舍，衢地交合，绝地无留，围地则谋，死地则战。涂有所不由，军有所不击，城有所不攻，地有所不争，君命有所不受。

　　故将通于九变之利者，知用兵矣；将不通于九变之利者，虽知地形，不能得地之利矣。治兵不知九变之术，虽知五利，不能得人之用矣。

　　是故智者之虑，必杂于利害。杂于利而务可信也；杂于害而患可解也。

　　是故屈诸侯者以害，役诸侯者以业，趋诸侯者以利。

　　故用兵之法，无恃其不来，恃吾有以待也；无恃其不攻，恃吾有所不可攻也。

◎玉矛◎

　　故将有五危：必死，可杀也；必生，可虏也；忿速，可侮也；廉洁，可辱也；爱民，可烦也。凡此五者，将之过也，用兵之灾也。覆军杀将，必以五危，不可不察也。

译文

　　孙子说：用兵打仗的一般法则是，将帅领受国君的命令，征集民众、组成军队，出征后遇到山林险阻、沼泽水网等难以通行的"圮地"（圮，pǐ，毁坏，圮地指难行之地），不可宿营；在几国交界、四通八达的"衢地"，要注意与邻国诸侯结交；在没有水草、粮食，交通困难、难以生存的"绝地"，千万不可停留；遇到四面地势险要、道路狭窄，进出困难的"围地"，要巧设计谋，出奇制胜；陷入前无进路，后有追兵，战则存、不战则亡的"死地"，要坚决奋战，殊死拼争。有的道路不要去走，有的敌人不要去打，有的城池不要去攻，有的地方不要去争，即使是国君的命令，不适合当时情况的也不能执行。

　　所以，将帅如果精通在各种情况下机智应变的利弊，就真正懂得用兵了；如果不懂得在各种情况下机智应变的利弊，即使是熟悉地形，也不能得到地形之利。统帅指挥军队而不知道各种机变的方法，纵然了解五种地形（即圮、衢、绝、围、死）的利弊，也还是不能充分发挥全军将士的战斗力。

　　因此，聪明的将帅考虑问题时，必定兼顾到利害两个方面。在不利的情况下充分考虑到有利的因素，战事就可以顺利进行（务，事也；信，伸也，发展的意思）；在有利的情况下充分考虑到不利的因素，各种可能发生的祸患便可以预先排除。

　　要使别的诸侯国屈服，就要用各种手段去伤害他；要使别的诸侯国任你驱使，就要用各种他不得不做的事

去烦扰他；要使别的诸侯国听你的调遣，就要用各种利益去引诱他。

所以，用兵打仗的一般原则是，不寄希望于敌人不来进犯，而要依靠自己做好充分的准备，严阵以待；不寄希望于敌人不会攻击，而要依靠自己防守坚固，敌人不可攻破。

所以说，将帅有五种弱点是致命的：只知道死拼硬打，就有可能被诱杀；只顾贪生活命，就有可能被俘房；性情暴烈、急躁易怒，就有可能被敌人的侮辱激怒而中计；廉洁好名，就有可能被流言中伤而落入圈套；过分溺爱民众，就有可能被烦扰而陷于被动。以上这五种情况，是将帅的过错，也是用兵的灾难。全军覆灭、将帅被杀，都是由这五种危险引起的，对此，不能不予以充分的注视。

 评点

在中国古代文化中，"九"是数之最大，常常用来形容不可穷尽、无涯无际的事物，所以天有九重，地有九层。也常常用九来象征无限，如华夏列为九州，宫门建成九重，唐僧西天取经，也要历经"九九八十一难"。因此，九之数，有虚有实，但无论虚实，都是极言其多；除具体的计算而外，便有实物为证，九，仍然是多的代表。孙武《九变篇》中之"九"，也是多的意思，尽管某些时候，孙武所列情形确为九种，亦不可泥于此数，而应将实数之九视为无穷数中的典型代表，是举其要者而包容其他，择其典型而概括一般。在战争中，什么样的情况都可能遇到，想象不到的事情都可能发生，远非孙武所列诸项可以尽包。如果仅将视野、思路局限于列出之数，那么，势必会陷于刻板，稍有变化便无所适从，失败在所难免，也正好做了孙武"不通九变之利"的证据。

《九变篇》的核心是"变"，即强调在作战过程中，将

◎玉带勾◎

帅应根据实际情况权谋机变，机智灵活地运用战略战术，随机应变，不可墨守成规。变的前提是实践中遇到的具体情况，变的主体则是统领军队的将帅，"将通于九变之利者，知用兵矣。"

在战争中，将帅的随机应变，灵活运用作战原则，意义极其重大。那么，在哪些方面变呢?孙武在前已就"奇正"、"虚实"、"众寡"、"迂直"等方面的变通应对，做了精辟的论述，在《九变篇》着重论述的是地形与将帅素质两个方面。

孙武从战场上经常可以遇到的几种情况入手，分析了将帅变通应敌所应采取的方法。"圮地无舍，衢地交合，绝地无留，围地则谋，死地则战"，着重从军队所处不利位置强调应断然采取相应措施，尽量避免受到损失。其中，前四者侧重于地形本

◎河南南阳市诸葛庐◎

身，强调用兵者应主动避而
远之，万不可陷于其中；而
后者则是战势，既有地形之

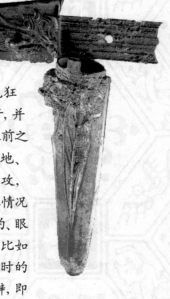

不利，更有兵势之劣弱，拼死奋战只是用
兵者被迫采用的唯一选择，因为，不战必亡，战则有可能力挽狂
澜，起死回生。古今中外，置之死地而后生、反败为胜的例子，并
不鲜见。有害即避，是普通的常识，一般人容易做到，但贪眼前之
利而招致损害，不是谁都可以看得清楚的。用兵打仗，攻城掠地、
消灭敌人、兵贵神速，但"涂有所不由，军有所不击，城有所不攻，
地有所不争"。所谓"有所不"，并非"一定不"，需依据具体情况
而决定取舍，衡量的标准是有利还是有害，特别要警惕表面的、眼
前的、小的利益之下，掩盖着的实质的、长远的和巨大的灾难，比如
孙武善于运用和多次强调过的"诱之以利"。因此，用兵者此时的
"变"，不仅是灵活机变之变，而是辨明是非、权衡利弊之辨，即
下文所言之"杂于利害"的分析判断。就是对于国君的命令，也要
采取同样的态度，适合具体情况，有利克敌制胜的命令，自然应该

◎鸟纹铜戟 春秋初期◎

遵照执行；而不符合实际情况，于克敌制胜毫无用处，甚至有阻碍
破坏作用的瞎指挥，就绝对不能执行，故曰"君命有所不受"。这一
观点与《谋攻篇》中对"君患于军"和"将能而君不御"的思想一脉
相承。孙武在吴王宫中演练兵法时，按军纪斩杀了吴王宠爱的两位
妃子，便曾对吴王说过"将在军，君命有所不受"的话，驳回了吴王
的求情。

　　"君命有所不受"，是对上述九种常见情况的结语，不属于
"地利之变"的范畴。它也是对将帅素质要求的开启。因为依据实
际情况就地形而做出变通，有足够的智慧、清醒的头脑便可以完
成；而对君王的命令要做出取舍遵违的判断，在智慧之外还需要
有过人的胆识和承担风险的勇气。

因而可以说，"变"，首先是对将帅的最起码的也是最高标准的要求。孙武反复说明将帅应精通于"九变之术"，并特别强调对"九变"不通、不知者，便不能胜任用兵之责。这里，孙子把"通于九变"视为将帅必备的素质，与《计篇》中"将之五德"（智、信、仁、勇、严）将"智"列于首位是一致的。

要真正成为智者，就必须克服片面性，能够全面地辩证地看待问题。"智之虑，必杂于利害"。只看到有利的一面，或只看到不利的一面，都不能做出正确的判断，距离胜利就相当遥远了。在有利的形势下看到不利的方面，在不利的形势下能看到有利的方面，兼顾利害两个方面，就既可增强胜利的信心，使战争沿着预期的方向发展，又可防患于未然，避免意外的变故发生，免遭不必要的损失。同样，只有根据实际情况分别晓以利或施以害，才能使别的诸侯国或屈服于我，或被我奴役，或任我调遣。对于敌人，就是要尽量造成和扩大其困难的方面，使其由利变害，由小害变为大害。在我军方面，则要防患于未然，化害为利（《军争篇》有"以患为利"），以利制害，用我们充分的准备（"有以待之"、"有所不可攻"），使敌人无机可乘，无隙可击，而绝不抱任何不切实际的幻想，更不寄希望于敌人的慈悲。

以上所述之利害之变，一如前所述之"九地之变"，都包含着有所不为才能有所为、有所不取才能有所取的朴素辩证论的思想。

为了更好地避害趋利，孙武在最后指出了"将有五危"，从思想水平和性格特征方面，强调了将帅素质的重要性。致敌必死，保己必生，刚烈不屈，廉洁爱民，就是为将帅者的基本特征，但如若走向片面，不从实际情况出发相机变通，而是感情用事、缺乏理性思考，就会招致覆军杀将的厄运。这里，孙武告诫将帅们在临敌运用时应精于变通，其实孙武在文中也很好地表现了

◎翼龙纹戈 战国◎

变通(或曰辩证)的观点。证之以"将之五德",勇者一定杀敌必死,信者自然廉洁好名,仁者无不爱民保民,而"杀敌者,怒也"(《作战篇》),凡此种种,都是孙武正面肯定的观点,在此处却成为将帅们致命的弱点。这当然不是孙武自相矛盾,而是依据实际情况或不同境遇所做的权变,其中关键的因素是分寸,相当于今天我们所说的"度"。正如"真理与谬误只有一步之遥"那样,任何偏误都将有可能将事物的发展引向其反面。"将之五危"也并不是一概地否定"必死"、"必生"、"忿速"、"廉洁"、"爱民",而是强调凡事不可过分,应较之以利害,有所为而有所不为。

孙武的"九变"原则,深刻反映了客观世界矛盾存在的多样性和复杂性,深刻反映了矛盾运动、特别是矛盾转化过程中,各种机遇出现的偶然性和短促性。世界上的事物千差万别,矛盾错综复杂,对每一个矛盾和问题都要具体分析、具体对待,不可千篇一律,凝固不化。这就需要变,改变自己的行动以适应实际情况的变化,改变(或创造)有利态势,使形势向有利于自己的方面转化。打仗是你死我活的事情,形势更是瞬息万变,极难捉摸,加之双方都在尽力制造假象、巧施诡计,就更需要灵活机变、相机变通了。"九变"原则无论是从理论上,还是在实践上,其正确性与深刻性都是不容置疑的。

西汉景帝时大将周亚夫便是"通于九变之利"的杰出军事家。

刘邦战胜项羽建立西汉王朝以后,为巩固封建家族的统治地位,大封同姓子弟为王,各据一方,以防异姓篡权。到景帝时,各王所统治的诸侯国财富日增,势力日强,逐渐形成了割据态势,几乎到了要与朝廷分庭抗礼的地步。汉景帝听从大臣消弱割据势力、加强中央集权的主张,先后削夺了赵、楚、吴几国对部分郡县的统治权,收归朝廷管辖。"削藩"政策加剧了各诸侯国对朝廷的不满,终于在公元前154年爆发了七国之乱。

七国之乱的首领是吴王刘濞。起兵前,刘濞先后说服胶西、齐、菑川、胶东、济南等诸王参加叛乱,结果,胶西、胶东、济南、楚、赵等

◎铁剑及剑鞘金饰◎

五国先后起兵，响应吴王反对朝廷。吴王认为反叛联盟已成，便制定了从南、北、东三面合击关中的战略部署，筹划着一举占据汉王朝的统治中心长安。然而，吴王对诸侯联盟的稳定性估计太高，其他诸王并没有完全按他的计划行动，参加叛乱的也只有吴、楚、赵、胶西、胶东、菑川七国。

公元前154年正月，吴王亲率大军二十万，从吴都广陵出发，北渡淮河与楚军会合，准备西进攻打梁国。汉景帝得知吴王起兵，便命令周亚夫率兵东进攻击吴、楚，同时另派兵将对付齐、赵。

周亚夫奉命出征。行前，周亚夫向景帝建议，吴军士气正旺，剽悍轻捷，正面争锋难以取胜，不如暂且将梁国舍弃给吴国，大军迂回至吴军背后，断其粮道，然后便能将叛军制服。景帝同意周亚夫的意见，周亚夫便按计划出兵，向洛阳进军。

汉军原计划走大道，经崤山、渑池而至洛阳。这时赵涉提议，吴王知道将军的动向，必定会在崤渑之间安置间谍，在险要处设法阻止大军东进。不如改经蓝田，出武关而至洛阳，虽然比原定路线多走一二天时间，却可以神不知、鬼不觉安全抵达洛阳，迅速控制军械库。周亚夫迅速改变行军路线，由蓝田出武关，经南阳至洛阳，并派兵抢先占领了荥阳要地，控制了洛阳的武库和荥阳的敖仓。

这时，吴、楚联军已开始向梁国发动进攻，在棘壁(今河南永城西北)与梁军交战，歼灭梁军数万人，占得梁国部分地盘。梁军退守睢阳(今河南商丘南)，又被吴、楚联军包围。危急中，梁国向周亚夫求救，周亚夫却领兵向东北进发，在远离梁国睢阳的昌邑(今山东金乡西北)深沟高垒，修筑起坚固的防御工事，固守不战。吴、楚联军一再攻打睢阳，梁王天天派使臣请求发兵相救，周亚夫按原定策略，始终不发救兵。梁王上书景帝，景帝下令救援，周亚夫依然坚守营垒，不肯发兵。但他却派出轻骑，迂回到吴、楚联军背后，断了联军的粮道。梁军面对吴、楚联军的四面包围，竭尽全力坚固防守，还不时派出精兵袭扰吴军。

吴、楚联军久攻睢阳不下，西取荥阳、洛阳也没了希望，退路又受到周亚夫大军的威胁，加之又被周亚夫断了粮道，军队缺乏足够的粮草，士气大挫，陷入了进退两难的境地。为摆脱困境，吴、楚联军调转兵力进攻下邑，企图寻找周亚夫大军的主力决战。周亚夫依然深沟高垒，对敌军的挑战不理不睬。多次挑战而不能如愿

◎铜铍及铭文 秦◎

的吴、楚联军,使出声东击西之计,向汉军东南方发起佯攻。周亚夫识破敌军诡计,派兵加强西北营垒的防卫力量,当吴、楚联军主力进攻西北角时,以逸待劳的汉军给了进犯之敌沉重有力的打击。攻汉军营垒而不克,引汉军出营决战而不得,兵疲粮尽的吴、楚联军,只得引军撤退。这时,周亚夫即派精锐部队追击掩杀,大破吴、楚联军,楚王刘戊被迫自杀,吴王刘濞丢弃了大部分军队,只带几千亲兵将士逃到了丹徒,企图依托东越作最后的挣扎。

周亚夫乘势追杀,全部俘虏了吴国将士,并悬赏黄金千斤捉拿吴王。一个多月后,东越王在汉军的威胁和利诱下,杀了吴王刘濞。

周亚夫用了三个月的时间,便将七国之乱的主力——吴、楚联军的叛乱平息。

当吴、楚联军进攻梁国时,其他诸侯各怀异心。齐王背约不出兵,赵王则坐观吴、楚联军死战,只有胶西、胶东、菑川、济南四王举兵。但四王并没有按原计划进攻洛阳,与吴、楚联军会合,而是在胶西王的指挥下,去围攻齐国之临淄。结果,临淄没有攻下,却遭到景帝派出的另一路汉军的打击,四王军队全军覆没。最后,胶西王、赵王自杀,其余诸王被杀,七国之乱彻底失败。

周亚夫在平定七国叛乱中,发挥了举足轻重的作用。周亚夫用兵十分灵活,是他取胜的关键因素。他临时改变进军路线,"涂有所不由",收到了意想不到的效果;吴、楚攻梁时,坚持"委之以梁"的策略,让吴、楚联军在攻战中消耗实力;坚持不分兵救援,做到了"地有所不争,君命有所不受";面对吴、楚联军对梁国的攻杀和对汉营一再的挑战,他没有犯"忿速"、"爱民"之类的错误;深沟高垒,坚固防守,是"有以待之"、"有所不可攻也";而一旦敌军溃败,则全力追杀,充分发挥"地之利"与"得人之用"。周亚夫能根据敌我双方兵势的情况,充分利用地形、兵势之利,灵活处理进攻和防守的关系,以防御为主的战略手段,完成了通常用战略进攻所能完成的任务,确实不愧为"通于九变之利"的杰出军事指挥家。

周亚夫平定七国之乱,充分证明了孙子"九变之术"的确是具有真理性的战术原则。

战例

彝陵之战

发生于公元222年的彝陵之战，是三国时期孙、刘两家为争夺战略要地荆州八郡而进行的一场战争。

吴国军队的统帅陆逊在这次战争中，机动灵活，与强大的刘备军团相周旋，最终以数万人的兵力，一举而战胜拥有十万军队的蜀军。而蜀军统帅刘备，一意孤行向吴国开战，又在作战部署上屡犯错误，终于葬送了蜀汉在战略上的全部优势。

赤壁之战以后，长江南北八郡的战略要地荆州被曹操、孙权、刘备三家瓜分，曹操占据南阳和江夏北部，孙权先后占据了江夏南部和南郡，刘备成功夺取了武陵、长沙、零陵、桂阳四郡。

公元210年，在刘备的请求之下，孙权同意把长江北岸的战略要地借给刘备，这样一来，刘备控制了整个荆州地区。没过多久，刘备又夺取了益州和汉中。历史上魏、吴、蜀三国鼎立的局面从这时候开始便形成了。

汉中和荆州是蜀汉的两个战略要地，是进可以攻，退可以守的地方。

处于长江中下游的孙权东吴政权，面对刘备军团日益壮大，深感惶恐。只是因为当时双方合力抗曹还是共同的战略目标，所以矛盾才暂时没有激化。

公元211年，孙权占据交州后，力量进一步扩大。而此时的曹操正忙于兼并关中的马超和韩遂，稳定后方，根本没有时间顾及南边的刘备和孙权。孙权便乘这个机会向刘备要回荆州，刘备则以"须得凉州，当以荆州相与"为借口拒绝归还。两国曾一度兵戎相见。最终还是和解了，两国以湘水为界，平分荆州，江夏、长沙、桂阳归东吴，刘备拥有南郡、武陵、零陵三地。但是，孙、刘两家间的矛盾并未因此消除。

公元219年，孙权乘蜀汉荆州守将关羽北攻襄阳、樊城，见蜀军后方空虚，派遣大将吕蒙袭占江陵。关羽闻讯后率军回救，结果战

◎吊人铜矛◎

败被杀，孙权遂夺得了整个荆州。自此之后，孙、刘矛盾全面激化，终于导致了彝陵之战。

公元221年，刘备在成都称帝，国号汉，史称蜀汉。一个月后，刘备为给关羽报仇，打算出兵攻吴，夺回荆州。魏文帝曹丕看到孙、刘两家在内部瓦解，非常高兴，并多方寻找机会加剧吴蜀之间的冲突，好坐收渔人之利。蜀汉的绝大多数大臣、将领都看到了大举攻吴对蜀根本不会有什么好处，只会给魏以可乘之机，再三规劝刘备不要出兵。赵云叩谏刘备：不要对吴发动战争。指出蜀汉当前的主要敌人是曹魏，而不是孙权。如果灭掉了曹魏，孙吴则不攻自破，当前应当利用曹丕篡汉的机会，出兵取关中，控制黄河、渭水的上游，完成匡复汉室的大业。诸葛亮等群臣也持同样的观点。可是，刘备却什么都听不进去。

孙权夺取荆州以后，为了巩固既得利益，也不愿意吴蜀之间再发生任何冲突，曾先后两次派臣使向刘备求和，但都被刘备断然拒绝。东吴南郡太守诸葛瑾（诸葛亮之兄）也给刘备写信，向他陈说利害："魏和吴都是你的敌国，首先对付谁，希望认真考虑一下，再作决定。"刘备同样不予理睬。

公元221年七月，刘备亲率数十万人大军，对吴国发动了大规模的战争。当时，两国的国界已西移到巫山附近，长江三峡成为两国之间的主要通道。刘备派将军吴班、冯习率领四万多人为先头部队，夺取峡口，攻人吴境，在巫地（今湖北巴东）打败吴军李异、刘阿部，长驱直入，占领了秭归。为了防范曹魏的进攻，刘备派镇北将军黄权驻扎在长江北岸，又派侍中马良到武陵，利诱当地的部族首领沙摩柯起兵攻吴，配合行动。

孙权在蜀军大举进犯的情况下，奋起应战，任命镇西将军陆逊为大都督，统率朱然、潘璋等各部共五万人抵御蜀军，同时又派

◎水晶雕云纹璧 战国◎

人向曹丕称臣，以免魏军乘机偷袭，避免了两面作战。

公元222年正月，蜀国吴班、陈式的水军攻下并占领彝陵，屯兵于长江两岸。

二月，刘备率大军主力从秭归进抵猇亭，建立了大本营。在战争开始的阶段，吴军诸将都要求立刻迎战；陆逊通过对双方兵力、士气以及地形等各方面的条件的分析，指出刘备兵势强大，居高守险，锐气正盛，略显优势，吴军应避其锋芒，寻找合适机会另谋破敌良策。于是陆逊果断地实施战略退却，一直退到夷道、猇亭一线。进行防御，遏制蜀军的进军。这样，吴军完全退出了高山峻岭地带，把兵力难以展开的数百里长的山地留给了蜀军。

这时的蜀军已深入吴境五六百里，由于进至彝陵以西一带被吴军扼阻抵御，蜀军东进的势头停了下来。在吴军扼守要地、坚不出战的形势下，蜀军便不得不在巫峡、建平(今四川巫山北)至彝陵一线数百里地上设立了几十个营寨。为了调动陆逊出战，刘备用一部分兵力围攻驻守夷道的孙桓。孙桓只好请求陆逊增援。孙桓是孙权的侄儿，所以诸将纷纷要求出兵援救，以解夷道之围。但陆逊为了不分散和过早地消耗兵力，拒绝了分兵援助夷道的建议，认为只要同蜀军决战胜利，夷道之围自然解除。这样，一来陆逊就避免了同蜀军过早地进行决战。

◎辽宁九门口长城水关◎

从正月到六月，两军仍处于相持阶段。刘备为了能够迅速与吴军决战，曾派人天天到阵前辱骂挑战，但陆逊却置之不理。后来，刘备又派吴班率数千人在平地立营，还在山谷中埋伏了八千人，企图引吴军出战。但此计又被陆逊识破。陆逊坚守不战，破坏了刘备速战速决的计划。蜀军将士，无不斗志涣散，从而失去了战场上的主动权。

六月的江南，暑气逼人，刘备不得已只好把山谷里的军队开出山林，将水军转移到陆地上，把军营安在密林之中，依傍溪涧，屯兵休整，准备秋后发动进攻。由于蜀军是处于吴境五六百里的崎岖山道上，后勤保障十分困难，加上刘备百里连营，兵力分散，从而给陆逊以可乘之机。

陆逊看到蜀军士气低落，放弃了水陆并进、夹击吴军的战法，认为战略反攻的条件已经成熟。于是，他上书吴王说：交战之初，所顾虑的是蜀军水陆并进、夹江直下。现在蜀军处处结营，从其部署来看，不会有什么变化。击破蜀军，当无困难。

陆逊在进行大规模攻击之前，派遣小部队进行了一次试验性的进攻。这次进攻虽未能成功，但却使陆逊找到了破敌之法——火攻连营。因为当时江南正是炎夏，气候闷热，而蜀军的营寨都是由木栅搭建而成，其周围又全是树林，非常容易起火。

决战刚刚开始的时候，陆逊便命令吴军士兵各持茅草一把，乘夜袭击蜀军营寨，根据风势放火。顿时间火势凶猛，蜀军大乱。陆逊乘势发起反攻。朱然率军五千突破蜀军前锋，接着插入蜀军后部，与韩当所部进围蜀军于涿乡，切断了蜀军退路。潘璋所部直攻蜀军冯习部。诸葛瑾、骆统、周盾诸部配合陆逊的主力在虢亭向蜀军发起反攻。吴军很快攻破蜀军营寨四十多座，并且用水军截断蜀军长江两岸的联系。蜀将张南、冯习及部族首领沙摩柯等战死，杜路、刘宁等投降。蜀军溃不成军，大部死伤和逃散，车、船等军用物资全部丢掉。刘备乘夜逃走，行至石门山，被吴将孙桓追上，几乎被擒，后来焚烧溃兵所弃的装备堵塞山道，才得以脱身，逃回永安。这时，蜀军镇北将军黄权的部队正在江北防御魏军。刘备败退，黄权后路为吴军所截断，不得已于八月率众向曹魏投降。

刘备逃到白帝城后，吴将潘璋等人都主张继续追击蜀军，扩大战果。陆逊则不同意这种做法，他认为曹丕名义协助吴军攻蜀，其实则另有图谋，必须加以警惕。而且蜀镇东将军赵云已率军抵达白帝城，要打败它也没有把握。于是决定撤兵。九月，曹魏果然攻吴，因陆逊已有准备，魏军终于无功而返。

在彝陵之战中，陆逊统帅五万吴军大败占优势的蜀军，在于他能正确分析敌情，敢于示弱，迷惑敌人，然后再伺机歼灭敌人，这符合孙子"圮地无舍"、"绝地无留"的作战原则，是"将通于九变之地利者"的表现。在相持过程中，他做到保存实力，不增援孙桓，为战胜强敌创造条件，这是孙子"涂有所不由，军有所不击"这一战略思想在实践中的灵活运用。陆逊在彝陵之战全面胜利的形势下，果断停止追击蜀军，防范曹魏的乘机进攻，说明陆逊在有利的情况下，能够看到不利的一面，反映出他作为一代名将的优秀素质。

再看刘备，尽管他久经沙场，但在这次战争中的表现，却证明他并不真正懂得如何在用兵中贯彻"九变"的指导思想。他恃强冒进，将军队带入

难以施展的五六百里的崎岖山道之中；在吴军的顽强抵御面前，没有及时改变作战策略，采取了错误的无重点处处结营的办法，结果失掉了战场上的有利局势，导致最终的失败，这便是"不通于九变之利者，虽知地形，不能得地之利"的表现。总之，刘备争夺荆州的"忿速"心态和具体作战过程中的失策，决定了他自食"覆军杀将"的恶果并非偶然。

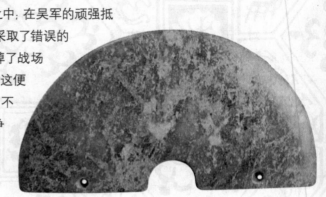

历代名将

陈庆之

陈庆之，南朝梁将领。字子云，义兴国(今江苏宜兴)人。他曾是梁武帝萧衍的随从，后来被封为武威将军，此人有胆略，善于出谋划策，带兵打仗更是有自己的独到之处，深得士兵的爱戴。

公元527年，陈庆之与浔阳太守韦放合攻魏国的涡阳，魏国派遣征南将军元昭率数万步兵前来救援，陈庆之乘魏军远来还未立足，仅率二百骑就击破其前锋。后来他又与诸将连营而进，背靠涡阳城与魏军相持，在有的将领主张退兵之时，他极力主张决战。魏军为了阻挡梁军进攻，修建了十三座堡垒防御，陈庆之领兵夜出，一口气攻破四垒，梁军乘胜强攻，将魏军杀得落花流水，其余九垒也很快被攻破。

陈庆之一生之中最为光辉的事迹还是发生在他奉命护送降梁的魏北海王元颢北还的时候。陈庆之仅率七千人向洛阳进发，攻陷荥城，进逼魏国，一路上所过之处，魏军望风而降。在四个多月里，陈庆之从铚县进军洛阳，前后作战四十七次，无一不胜，攻取三十二城，战功卓著，可谓是空前绝后。陈庆之和部下都穿白袍，一路上所向披靡，所以洛阳城中有童谣："名师大将莫自牢，千兵万马避白袍。"后来因为魏大军反击，攻陷洛阳，陈庆之因兵少失败，潜返南方。

陈庆之一生征战，常设奇谋，多为以少胜多，而且长于攻城。无论是北伐横扫河洛，或挥师驰骋边陲，均充分显示出他杰出的军事才能。

行军篇第九

开篇

　　"行军"，在现代军事用语中，意指军队由一个地方转移到另一个地方去的行动，涉及的仅是行进过程本身而不及其他。这里的"行军"，它的涉及范围包括了军队转移运动的现代意义，几乎包容了军事活动的大部分内容，因此，《孙子》中的"行军"，指的便是从事军事活动、用兵打仗的意思。

原文

　　孙子曰：凡处军相敌：绝山依谷，视生处高，战隆无登，此处山之军也。绝水必远水；客绝水而来，勿迎之于水内，令半济而击之，利；欲战者，无附于水而迎客；视生处高，无迎水流，此处水上之军也。绝斥泽，惟亟去无留；若交军于斥泽之中，必依水草而背众树，此处斥泽之军也。平陆处易，而右背高，前死后生，此处平陆之军也。凡此四军之利，黄帝之所以胜四帝也。

　　凡军好高而恶下，贵阳而贱阴，养生处实，军无百疾，是谓必胜。丘陵堤防，必处其阳，而右背之。此兵之利，地之助也。上雨，水沫至，欲涉者，待其定也。凡地有绝涧、天井、天牢、天罗、天陷、天隙，必亟去之，勿近也。吾远之，敌近之；吾迎之，敌背之。军旁有险阻、潢井、蒹葭、林木、翳荟者，必谨复

◎手形銎铜戈◎
手形銎戈可能作仪仗器使用，装柄后如操生杀权力之手。器物构思巧妙，造型奇特，集装饰效果与实用功能于一体，为中国青铜器所罕见。

索之，此伏奸之所处也。敌近而静者，
恃其险也；远而挑战者，欲人之进
也；其所居易者，利也；众树动者，来
也；众草多障者，疑也；鸟起者，伏
也；兽骇者，覆也；尘高而锐者，车
来也；卑而广者，徒来也；散而条
达者，樵采也；少而注来者，营军也；
辞卑而益备者，进也；辞强而进驱者，退
也；轻车先出居其侧者，陈也；无约而请和
者，谋也；奔走而陈兵者，期也；半进半退
者，诱也；杖而立者，饥也；汲而先饮者，渴
也；见利而不进者，劳也；鸟集者，虚也；夜
呼者，恐也；军扰者，将不重也；旌旗动者，乱
也；吏怒者，倦也；杀马肉食者，军无粮也；
悬缶不返其舍者，穷寇也；谆谆谕谕，徐与
人言者，失众也；数赏者，窘也；数罚者，
困也；先暴而后畏其众者，不精之至也；
来委谢者，欲休息也；兵怒而相迎，久
而不合，又不相去，必谨察之。

兵非贵益多，唯无武进，足以并力、料
敌、取人而已。夫惟无虑而易敌者，必擒于人。

卒未亲附而罚之，则不服，不服则难用；卒已亲附
而罚不行，则不可用。故令之以文，齐之以武，是谓必
取。令素行以教其民，则民服；令不素行以教其民，则
民不服。令素行者，与众相得也。

译文

　　孙子说：军队在行军、扎营、作战和观察、判断敌情时，都必须注
意：通过山地，要沿着有水草的山谷行进；要在居高向阳、视野开阔
的地方驻扎；不要去仰攻占领了高地的敌人。这是在山地部署军队的

原则。横渡江河后，要在远离江河处驻扎；敌人渡河来战，不要在敌人刚入水就去迎击，而是让敌军渡过一半时再去进攻，最为有利；想要同敌人决战，就不能紧靠水边列阵布兵；也应当居高向阳，不要处于敌人的下游。这是在江河地带部署军队的原则。通过盐碱沼泽地带，要迅速离开，不可停留；如果与敌人遭遇于盐碱沼泽地带，那就必须靠近水草，背靠树林。这是在盐碱沼泽地带部署军队的原则。在平原上，要占领开阔的地域，主要侧翼要依托高地，做到面向平易、背靠山险，前低后高。这是在平原地区部署军队的原则。以上这四种部署军队的原则的成功运用，正是黄帝之所以能战胜其他"四帝"(一说泛指炎帝、蚩尤等四方之帝；一说指东方青帝、南方赤帝、西方白帝、北方黑帝)的原因。

在一般情况下驻军，总是喜欢干燥的高地，厌恶(避开)潮湿的洼地，重视向阳之处，轻视阴暗之处；靠近水草丰茂、军需给养充足的地方，将士们百病不生，这样就有了胜利的保障。在丘陵堤防地带，必须占据它向阳的一面，而以主力侧翼背靠着它。这些对于用兵有利的措施，都是以地形条件做辅助才完成的。上游降雨，洪水突至，若要涉水过河，应等水流平稳之后再过。凡是遇到绝涧、天井、天牢、天罗、天陷、天隙这样的地形，必须迅速离开，切不要靠近，要使自己远离这些地形，而让敌人靠近它；使自己面向这些地形，而让敌人背靠它。军队行军和驻扎的附近有险峻的道路、湖泊沼泽、芦苇、山林和草木茂盛的地形，必须谨慎地反复搜索，这些都是敌人可能设下埋伏和隐藏奸细的地方。

敌人逼近而保持安静的，是倚仗它占领着险要地形；敌人离我们很远而前来挑战的，是想引诱我军前进；

敌人有意驻扎在平坦地带，其中必定有利可图；许多树木摇曳摆动，这是敌人前来袭击；草丛中有许多遮障物，是敌人布下的疑阵；群鸟惊飞，是下面有伏兵；野兽惊骇奔逃，是敌人大举进袭；尘土飞扬得又高又尖，是敌人的战车来了；尘土飞扬得低而宽广，是敌人的步兵来了；尘土稀散、缕缕上升，是敌人正在砍柴；尘土较少且时起时落，是敌人正在安营扎寨。敌人的使者措辞谦卑而又在加紧战备的，是准备进攻；措辞强硬且军队做出进攻姿态的，是准备撤退；敌人的战车先出动，部署在两翼的，是在布兵列阵；敌人尚未受挫而主动来讲和的，必定另有阴谋；急速奔跑并排兵列阵，是期待与我决战；半进半退的，是企图引诱我军。敌兵倚靠兵器站立，是饥饿的表现；打水的敌兵自己先喝，是干渴的表现；眼见有利但不进兵争夺的，是疲劳的表现；营寨上空飞鸟聚集，说明下面是空营；敌人夜间惊慌喊叫，是内心恐惧的表现；敌营惊扰纷乱，是敌将没有威严的表现；敌阵旗帜摇动不整齐，是因为队伍已经混乱；军官容易发怒，是全军疲劳的表现；杀马吃肉的，是军中没有粮食了；收拾炊具，士卒不再返回营房的，是准备拼死突围的穷寇。敌将低声下气同部下讲话，表明他已失去了人心；不断犒赏士卒，表明敌军已无计可施了；不断惩罚部属的，是敌军处境困难的表现；原先对部下粗暴凶狠，后来又害怕部下的，是最不精明的将领。敌

◎跪射俑◎
跪射俑身著战袍，外披铠甲，足穿方口布鞋；头上结髻束带，半跪于地，双手仿佛正要拉开弓弦，姿式威武雄健。

人派使者来送礼言好，是敌人想休兵息战；气势汹汹地同我对阵，可是长时间不与我交锋而又不撤退的敌人，必须谨慎地观察了解它的意图。

兵力并不在于愈多愈好，只要不轻敌武断冒进，能够集中兵力，判明敌情，取得部下的信任和支持，也就足够了。那种既没有深谋远虑，又自负轻敌的人，一定会被敌人所俘虏。

士卒还没有亲近归附就施行惩罚，他们就会不服，心不服就很难指挥使用士卒；士卒已经亲近归附了，仍不执行军法军纪，也无法指挥他们行动。所以，用怀柔宽仁的手段去教育士卒，用严格的军纪军法去管束规范士卒，这样必定会取得部下的敬畏和拥戴。平素管教士卒严格执行命令，士卒就能养成服从命令的习惯；平素不重视严格执行命令，管教士卒，士卒就养不成服从的习惯。平时的命令能得到贯彻执行，这表明将帅与兵卒之间相处融洽，互相信任。

评点

"行军"，在现代军事用语中，意指军队由一个地方转移到另一个地方去的行动，涉及的仅是行进过程本身而不及其他。这里的"行军"，意义与现代军事语差异相当大，它的涉及范围包括了军队转移运动的现代意义，还包括作战、驻扎安营、观察地形、判断敌情、团结管理内部等诸多内容，几乎包容了军事活动的大部分内容，因此，《孙子》中的"行军"，指的便是从事军事活动、用兵打仗的意思。《行军篇》所论述的主要内容，是军队在不同的地理环境和战争态势下，行军作战、驻扎安营、观察利用地形和分析判断敌情、处置部署部队的基本原则，分为"处军"、"料敌"、"治军附众"三个方面。

"处军"，讲的是军队在各种不同地形上行动应取的方法，强调必须善于利用地形，使自己的军队占据便于作战、便于生存的有利地形，从而能充分发挥战斗力，夺得胜利，"兵之利，地之助也"。

孙子首先讲了四种地形情况下的"处军"。

山地。"绝山依谷"指行军，通过山地要沿山谷行进，因为山谷地势较平坦，水草便利，隐蔽条件好。"视生处高"指宿营驻扎，要选择干燥向阳(生："向阳曰生")，视野开阔，地势险要，易守难攻的地形。"战隆无登"指山地战斗的原则，只宜居高临下俯冲，切不可自下而上仰攻。

江河。原则有五条："绝水必远水"，渡河后必须远离河流，避免造成背水作战的不利局面，同时，若引得敌人随后渡河追击，迫敌于背水地，岂不妙哉！"半济而击"，敌人渡河来犯，不要在水中迎击，应乘敌人半数已渡、半数未渡之时发起攻击，那时，敌前军布阵未周，后军阻塞河岸，中军尚在水中，突然袭击必定大乱，进退不得，可大获全胜。"欲战者，无附于水而迎客"，这是"半济而击"的补充，上言攻击，此言列阵待敌，不可背靠江河迎敌，但可面向江河阻击对岸之敌，使其不得渡。"视生处高"，意同山地之法。"无迎水流"，即不要处于敌人的下游，防止敌人或顺流而下、或决堤放水、或投放毒药。

　　盐碱沼泽地。斥，盐碱地，寸草不生；泽，沼泽地，泥泞难行。此类地形不利行军，因而"惟亟去无留"，迅速通过，迅速离开。万一与敌人在这种地形遭遇，便"必依水草而背众树"，借草木可做依托，另沼泽中生草木处，土质相对坚硬，便于立足通行，增加了主动权。

　　平地。一要"处易"，选择地势平坦处，便于战车驰行；二要"右背高"，主要侧翼依托高地，便于观察战况，也可居高临下而攻；三要"前死后生"，古代研究者认为是"前低后高"，利于出击，但不完全。前，我军攻击的方向，也是敌军所处的位置，后，我军所处的位置，以及撤退、固守的地方，选择战场，应将"死地"留给敌人，将"生地"占为己有。

　　其次强调宿营时对地形的选择与利用。选择地势高峻、向阳干燥、水草丰美、粮食充足的地形安营扎寨，尽量避开地势低洼、阴暗潮湿、给养供应不便的地方。宿于丘陵、堤防一类地形，必须处于它向阳的一面，而且背靠着它。这里强调的是充分利用地形优势，来辅助军队战斗力的发挥。

　　再次则是对不利地形应采取的措施。上游降雨，洪水将至，应待洪水平定以后再渡河；遇到"六害之地"——绝涧(两岸峭峻、难以跨越的山间溪谷)、天井(四面高峻、中间积水)、天牢(四周险恶，易进难出)、天罗(草木丛生、行动困难)、天陷(地势低洼、道路泥泞)、天隙(两山夹峙、道路狭窄)，唯一的选择是尽快离开，不可靠近，同时设法让敌人靠近它们，并且背向它们，而我们则可以面对它们向敌攻击；当军队处于地形复杂的险阻、潢井(地势低洼、积水较多)、蒹葭、林木、翳荟(草木茂盛，遮盖视线)时，无论行军、宿营还是布阵决战，都应该仔细反复地进行搜索，以防敌人的埋伏和奸细。此三点，与前文正好相对，强调的是避地形之害。

孙武对地形的列举与相应对策的指示，虽不能说穷搜尽收，却也蔚为大观，相当齐备了。孙武将"地"列于考察战争胜败的"五事"之一，在此又极尽其详地分别论述了各种不同地形情况下，军队应该采取的正确措施，不仅可见出孙武对地形的重视，而且其中贯穿的是"避害就利"、"以患为利"的思想，既有实事求是的态度，又有辩证施治的精神。

"相敌"，讲的是对敌情进行周密细致的观察，通过各种征候对敌军的行动做出正确的判断，以便我军有的放矢地制定克敌制胜的战略战术。孙武在此列举了三十二种现象及其所显示的敌军情况，是很有价值的经验之谈，统称"相敌三十二法"。

"相敌三十二法"，大致可分两类。其一，根据自然景象的特征和变化观察、判断敌情。树动、草多障、鸟起、兽骇、尘土的四种状态，以及下文之鸟集，自然界的变化都对应着敌军的不同动作和状况。其二，根据敌人的行动来观察、判断敌情，其中又可分为两层：从两军对阵敌人的举止态度来判断敌人的状态和意图——恃险者、诱人者、有利可图者，布阵对敌各不相同；欲进者、欲退者、欲休息者，使臣的表现截然相反；布阵、设谋、欲战、诱人，军队的动作各有特征；而"兵怒而相迎，久而不合，又不相去"者，难以一眼看穿，因而也是最具潜在危险的敌人，一定要谨慎等待。从敌军阵营内部的表现来判断敌人的实力和心理状况——饥、渴、劳、恐、乱、倦以及将不重、军无粮，甚而穷寇，皆各有征候。这些是以士卒为主要对象，整体判断敌营情况；而通过"与人言"、"数赏"、"数

◎佣矛 春秋后期◎

击刺兵器。矛叶透雕云纹，板饰雷纹，一侧有环形系。筒上延至锋部，下端箍部作变形兽面纹，筒中残留有木他痕迹。钚上有铭文四字，记作器人名仙，即楚令尹边子冯。此矛纹饰精美，为楚国兵器中的典型器物。

罚"、"先暴后畏"等现象，则可判断敌军将帅的地位、处境、心理以及理智，对敌军决策者的判断，尤为重要。

"相敌之法"，由自然而至人，由两军阵前到敌营内部，由整体审视到具体分析，最后归结于敌军将领，由外至内，由表及里，由面到点，由外层到核心，层次分明，步步深入，具体而微，详尽周全。这些方法，是孙武所处时代在白昼直接用视力阵前观察的方法，当然无法与现代军事侦察的设备水平和技术方法相提并论。但是，通过各种征候来判断敌情的方法，尽管显得古朴、原始，却相当生动，十分具体，也是极为有效的，就是在现代侦察技术十分发达的今天，仍可以作为一种补充手段，而且往往可以发挥仪器无法替代的积极作用。

◎玉镂雕螭凤纹◎
青玉，色较暗，为古人所称的"苍玉"。体略呈梯形，中间收腰，两端向内琢空，但不穿透，可插剑鞘。器俯视如橄榄形，中间厚，两边薄，侧边处镂雕凤形双耳。器身一面镂雕兽面纹，并凸雕一螭，螭身于水云纹中探出；另一面亦镂雕兽面纹，但无螭。

"治军附众"，讲的是严格管理军队，从而做到内部团结，将士同心，在战场上"足以并力"，同取胜利。为了说明"治军附众"的重要，孙武先阐述了"兵非贵益多"的观点，提出立于不败的四条原则：不贸然进攻；能团结内部同心协力；能准确地掌握敌情；能获得部属的信任和支持。这中间起关键作用的是将帅，而将帅的成功，首先要建立在团结内部和取得人心上。正是基于此，孙武对将帅治军的要求，一是赏罚分明而且适度，让士卒心悦诚服，为将帅所用；二是用"令之以文，齐之以武"的方法，取得士卒的敬畏和信任；三是以身作则，用自己的行动教育部下，让士卒口服心服，将士之间建立起融洽和谐的关系。孙武提出的"令之以文，齐之以武"的治军原则，被后世的军事家、政治家、乃至一些团体、组织的领导者们广泛使用，已成为管理者普遍熟知的常识，至今葆有强大的生命力。"素行教民"强调将帅要以身作则，在行动上做部下的榜样表率，更具有概括性和针对性，在任何时代、任何区域、对任何人，都不会过时。

古往今来，善于处军、相敌、治军的例子不胜枚举，南北朝时期东魏、西魏的沙苑、渭曲之战，则具有典型性。

北朝的北魏分裂为东魏、西魏两个政权，分别以河南和陕西为中心，展开了长期的争斗，进行了无数次战争。公元537年，西魏丞相宇文泰率军东进，占攻了东魏的军事要地恒农(今三门峡市西)。东魏丞相高欢一面命大将高敖曹领兵三万反击恒农，一面亲率主力二十万，由蒲坂(今山西永济)西渡黄河，进袭关中，沙苑渭曲之战拉开了序幕。

宇文泰决定全力阻止敌军西进，派大将坚守华州(今陕西大荔)，迅速征调各地兵马，并抽调恒农守军万人回救关中。高欢渡过黄河，便命部队即攻华州城，由于城坚难攻，高欢命大军距城三十里扎营。宇文泰回到渭南，便决计进击高欢。部将以为征调兵马未到，敌众我寡，悬殊很大，反对立即迎敌。宇文泰则认为：东魏军远道而来，首攻华州又不下，便屯兵观望，说明东魏军人数虽多，但战斗力不强，也没有苦战克敌的精神，趁其立足未稳，地理不熟而突然袭击，必获全胜。若让其站稳脚根，继续推进而威逼长安，形势就对我们大大不利了。于是宇文泰命部队在渭水上搭建浮桥，亲率轻骑七千北渡渭水，进至距东魏军六十里的沙苑(今大荔南)安营扎寨。

西魏军进驻沙苑，宇文泰便立即派人化装成东魏军屯兵的许原一带的居民，潜入东魏兵营附近侦察敌情。侦察证实了宇文泰对东魏军的判断。针对东魏军骄傲轻敌的特点，部将李弼建议利用十里渭曲(渭河弯曲部分)沙丘起伏、沼泽纵横、芦苇丛生的地形，布设伏兵，诱敌深入而伏击聚歼。宇文泰亦正有此念头，便依计而行。再说高欢听说西魏军已进至沙苑，在没有认真部署的情况下，便率大军前来与宇文泰决战。行至渭曲附近，大将解律羌举见渭曲地形不利野战，建议留部分兵力在沙苑与宇文泰相持，另以精兵西袭长安。高欢急于寻找宇文泰决战，当然听不进去。高欢准备放火焚烧芦苇，又遭部将侯景、彭乐反对，他们提出要活捉宇文泰示众。部将的盲目乐观与骄傲轻敌，正与高欢的心态合拍，结果利令智昏，放弃了火攻，下令军队进入沼泽探索宇文泰。宇文泰等东魏军进入伏击圈后，击鼓为号，西魏军从左右两翼猛烈冲击东魏军，很快将其截为数段。本来乱无阵形的东魏军，突遭袭击，更加混乱不堪，在陌生而复杂的地形中，兵力的优势无法发挥，反而在突围中自相践踏。西魏军趁势奋力拼杀，杀东魏军六千余人，俘虏东魏军八万人。东魏军大败溃散，高欢仓皇逃至蒲津，渡河东撤而去。西魏军取得了沙苑渭曲之战的全面胜利。

宇文泰在战事部署及"处军"、"相敌"方面深得兵法要领。从屯兵许原，看到东魏兵人多势众，却无战斗力，不仅未被东魏的兵势吓倒，而且制定了相应的攻敌计划；派人化装深入敌占区，更准确地掌握敌情；利用地形之处，设计伏击奸敌，都是所以获全胜的重要原因。不过，渭曲设伏也是一着险棋，若高欢真的用火攻，那么，宇文泰便不战自败了。此计并不周密，但正如孙武所言："兵闻拙速，未睹巧之久也。"相反，高欢的失败，正在于违背了孙武所说的处军、相敌的原则，更有一条是骄傲轻敌、贸然进攻，听不进正确的意见，反而坚持错误，结果只能是"覆军杀将"。对比西魏、东魏的胜利和失败，孙子所言"兵非贵益多，唯无武进，足以并力、料敌、取人而已。夫唯无虑而易敌者，必擒于人"，无一字落空，真可谓天人神语，非凡人所能道。

奇哉，孙武子！

◎华容道◎

战例

虎牢之战

公元621年，也就是唐武德四年，在虎牢之战中前来增援王世充的窦建德十万大军，被李唐军队彻底地击垮了。此役一箭双雕，从而解决了当时中原地区两股主要的武装势力，为统一全国奠定了重要基础。

观虎牢之战中唐、窦两军作战，不难看出孙子《行军篇》所言"处军相敌"原则在实战中所体现出的价值，窦建德不善"处军"，不善"相敌"，从而导致兵败被俘。李唐军队则棋高一着而取得最终的胜利。

为了反抗隋朝的统治，隋朝末期，国内爆发了大规模的农民起义。公元617年初，国内的起义军形成了三大势力：河南地区以李密为代表，河北一带以窦建德为代表，崛起于江淮地区的起义军以杜伏威为代表。气数已尽的隋王朝，在三股起义军的强大攻势下，几乎到了彻底崩溃的边缘。在这种形势下，地方官员和贵族也纷纷举起反隋大旗，李渊父子的太原起兵就是从那个时候开始的。

公元617年五月，太原留守李渊父子在太原起兵。起兵后，他们在军事上不断取得胜利，政治上极力争取民心，把主动权牢牢地控制在自己的手中。在短短的半年时间里，便攻下隋都长安，并占据了关中和河东广大地区，还迅速地将手伸到了秦、晋、蜀等广大地区，成为当时举足轻重的一支力量。

公元618年，李渊在长安称帝，建国号唐。后来又击败了薛举、梁师都、刘武周等割据势力，这为他日后统一全国打下了良好的基础。

随着李密领导的起义军的解体，李渊

◎晋悼公虎牢筑城◎

父子的主要对手只剩下两个，一个是河北的窦建德，另外一个就是洛阳的王世充集团。另外还有控制着江淮地区的杜伏威，隋朝的残余部队萧铣集团控制着长江中游及粤、桂等地。李渊集团对此采取了行之有效的战略战术，采取积极的作战方式，用远交近攻、先王后窦、各个击破的策略：先派遣使者稳住窦建

德，与此同时派李世民率军进攻洛阳，消灭王世充。

李世民大军在洛阳城下与王世充的交战长达半年之久，给王世充军以重创，拔除了洛阳城外王世充军的据点，形成了对洛阳城的包围。王世充困守孤城，处境险恶，连连向窦建德告急求援。

随着形势的变化，窦建德很快地意识到，一旦王世充这股势力被打败，自己无疑便会成为唐军的下一个目标。"唇亡齿寒"的道理他还是明白的，为了自己他也得出手相助。

公元621年三月，窦建德亲率十万大军出兵援助洛阳。窦建德大军势如破竹，连下管州、荥阳、阳翟等地，很快到达了虎牢(今河南荥阳西北汜水镇)以东的东原一带(荥阳东北广武山)。

虎牢位于洛阳东面，属于战略要地。二月三旦的晚上，李唐王君廓军在内应的协助下，袭占该地。李世民在洛阳坚城未下、窦军骤至的形势面前，于青城宫召集前线指挥会议，研究破敌之策。唐宋州(治所在今河南商丘南)刺史郭孝恪、记室薛收等人认为，王世充据有洛阳坚城，兵卒善战，其困难在于粮草匮乏；窦建德远来增援，兵众既多且锐。如果让王、窦联兵，窦以河北粮食供王，就会对唐军造成不利，使李唐的统一大业受挫。因此，主张在分兵围困洛阳的同时，由李世民率主力据虎牢，阻止窦军西进，先消灭窦建德军，届时洛阳城就能不攻自下。李世民采纳了这一建议，立即将唐军一分为二，令

李元吉、屈突通诸将继续围攻洛阳，自己率精兵三千五百人，于三月二十五日先期出发，进驻虎牢。

李世民领兵到了虎牢的第二天，便率领骑兵前去侦察窦建德军队的动向。他派李世勣、秦叔宝、程知节等人设伏，自己与尉迟敬德等仅数骑向窦建德军营前进。距窦军军营三里，李世民有意暴露自己，引诱窦建德出动五六千骑兵追击。待窦骑兵进入埋伏地点之后，李世勣等奋起攻击，击败窦军追兵，歼灭三百余人。此战虽不是什么大战，但探出了窦军的虚实。

窦军被阻击在虎牢关东面，大军没有办法西进，再加上几次小战均以失败而告终，军中士气开始异常低落。四月三十日，唐军劫了窦建德粮草，大将军张青特被俘，使得窦军处境更为不利。此时，部下凌敬向窦建德建议：率主力渡黄河，攻取怀州、河阳。再翻越太行山，入上党，攻占汾阳、太原。指出这样做有三利：入无人之境，取胜可以万全；拓地收众，增强实力；震骇关中，以解洛阳之围。窦建德认为有道理，准备采纳，但苦于王世充频频遣使告急，部将又受王世充使者的贿赂，主张直接救洛，终于搁置了凌敬的合理建议。

不久，李世民得知，窦军企图乘唐到河北岸牧马的机会，突袭虎牢。李世民将计就计，率领部队过河，观察窦军的情况后，故意将千

◎虎牢关三英战吕布◎

余匹马留在河渚，引诱窦建德的军队出战。第二天，窦军果然全军出动，在汜水东岸布阵，摆出进攻虎牢的架势。李世民正确地分析了情况，说：窦军没经历过大战，今日此举，有轻视我军的意思。我们可按兵不动，等窦军疲惫后，再出击，以克敌制胜；于是一面严阵以待，使窦军无隙可乘，一面派人召回留在河北的诱兵，准备出击。

窦建德轻视唐军，仅遣三百骑过汜水向唐军挑战，李世民派部将王君廓率长矛兵二百出战。两军往来冲击交锋数次，未分胜负，各自退回本阵。战斗呈现胶着状态。

窦建德军沿汜水列阵，自辰时至午时，士卒饥饿疲乏，都坐在地上，士卒间又争着喝水，秩序混乱，表现出要返回军营的意向。李世民细心观察到这些迹象后，即派遣宇文士及率领三百骑兵经窦军阵西而南，先行试阵，并指示说：如窦军严整不动，即回军返阵。如其阵势有动，则可引兵继续东进。宇文士及至窦军阵前，窦军阵势即开始动摇。李世民见状，下令出战，并亲率骑兵先出，主力继进。过汜水后，直扑窦建德军的大营。当时窦建德正欲召群臣议事，唐军骤然而至，群臣都纷纷向窦建德处走避，致使奉调抵抗唐兵的战骑通道被阻。窦建德急令群臣退去为骑兵让路，但为时已晚，唐军已经冲入。窦建德被迫向东撤退，为唐将窦抗所部紧追不舍。接着李世民所率骑兵也突入窦军大营，双方展开激战。李世民又命程知节、秦叔宝、宇文歆等部迂回窦军后路。窦军见大势已去，遂惊慌溃逃。唐军乘胜追击三十余里，俘获五万余人。窦建德负伤坠马被俘，其余军卒大部溃散，仅窦建德之妻率数百骑逃回河北。至此，窦军被全部歼灭。

唐军虎牢之战得胜后，主力回师洛阳。王世充见窦军被歼，内外交困，走投无路，遂于绝望之中献城投降。

虎牢之战，唐军消灭窦建德援军十万人，接着又迫降了洛阳王世充的守军，夺取了中原的主要地区，取得"一举两克"的重大胜利，创造了我国古代攻城打援的著名战例。这也是李唐统一全国的关键一战。

李世民的取胜，除了唐军自身具备强大的实力外，主要得宜于其作战上。在"处军"方面，李世民果断地占据虎牢这一战略要地，牢牢地抓住了战斗的主动权。在"相敌"方面，他一直把观敌作为重点，并善于对获得的敌情进行分析，以利于自己做出正确的判断。在此基础上制定正确的作战方针，灵活机动地打击敌人。这既表现为决战前进行小战以探知窦军虚实，也表现为决战中捕捉窦军疲乏诸迹象，通过试战了解窦军实情后，坚决实施进攻，最终击败十万之众的窦军。

◎矛头铜狼牙棒 战国◎

这件兵器为矛头与狼牙棒合铸一体，棒作八棱形，表面铸有排列整齐的锥刺，棒前端另铸矛头，矛下有鼓形座。这类狼牙棒是多功能的，除可以击打外，还可以向前刺。

现在看来，窦建德的失败，在某种程度上，除了军队没有经过大战的洗礼之外，将帅的轻敌与士兵的傲慢有很大的关系，在"处军相敌"这方面也有重大失误。他没能尽力攻下虎牢，而在"处军"上已输了一着，而"相敌"上的失策则更使他一步步走向败亡。他未能判断李世民数骑冒进的意图，率然出战，结果中伏损兵，导致兵锋受挫。他不知唐军放牧马牛乃是利诱之计，随便驱动全军出战，决战没有打响，实际上已置己军于被动了。在决战中，窦建德又未能注意掩饰己方的军情，而将所有弱点一览无余暴露在唐军眼前，以至为敌所乘，陷于被动。更可悲的是，窦建德无端轻视唐军实力，轻举妄动，终于落得兵败身亡的下场。孙子在《行军篇》中说："夫惟无虑而易敌者，必擒于人。"真是一语道中了窦建德失败的症结，让后人不胜感慨！

历代名将

李靖

李靖，字药师，唐初杰出的军事将领、军事理论家、民族英雄。

李靖出生于官宦世家，隋将韩擒虎的外甥。从小就有"文武才略"，精心研究兵法，颇有进取心，为日后的成功奠定了良好的基础。

李靖先为隋臣，后来归唐，跟随秦王李世民南征北战，为唐朝的建立和巩固立下了汗马功劳，唐肃宗将他列为历史上十大名将之一，并配享于武成王庙。

李靖率军平定了隋末农民起义大军中八家主力中的两家，归唐后，南平江南，北灭突厥，西定吐谷浑，显示了非凡的军事才能，史家称李靖"临机果，料敌明"，是战绩与理论俱丰的军事家。

长期的治军和戎马生涯为李靖积累了丰富的军事经验：他严于治军，赏罚分明，用人不避亲仇，大大激励将士的士气，造就出了一支战斗力强、军纪严明、深得民心的军队；对敌作战时，主张因势利导，重视地形在作战中的作用；提倡使用反间计，使敌方相互猜忌，达到瓦解分化敌人、不战而胜的目的，同时也警惕对方用反间计离间己方。

李靖曾根据一生的实践经验，写出了优秀的军事著作《六军镜》等，可惜大都佚失，后人辑佚而成《唐太宗李卫公问对》，在北宋时期列入《武经七书》，是古代兵学的代表著作，进一步丰富和发展了中国的军事思想和理论。

地形篇第十

开篇

本篇虽名《地形篇》，但孙武论述的内容却不局限于地形，提出了"地有六形"、"兵有六败"的观点，揭示了地形与敌情的关系，提出了"料敌制胜，计险厄远近"的著名军事理论。

原文

孙子曰：地形有通者，有挂者，有支者，有隘者，有险者，有远者。我可以往，彼可以来，曰通。通形者，先居高阳，利粮道，以战则利。可以往，难以返，曰挂。挂形者，敌无备，出而胜之；敌若有备，出而不胜，难以返，不利。我出而不利，彼出而不利，曰支。支形者，敌虽利我，我无出也，引而去之，令敌半出而击之，利。隘形者，我先居之，必盈之以待敌；若敌先居之，盈而勿从，不盈而从之。险形者，我先居之，必居高阳以待敌；若敌先居之，引而去之，勿从也。远形者，势均，难以挑战，战而不利。凡此六者，地之道也。将之至任，不可不察也。

故兵有走者，有弛者，有陷者，有崩者，有乱者，有北者。凡此六者，非天地之灾，将之过也。夫势均，以一击十，曰走。卒强吏弱，曰弛。吏强卒弱，曰陷。大吏怒而不服，遇敌怼而自战，将不知其能，曰崩。将弱不

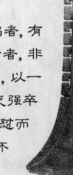

严，教道不明，吏卒无常，陈兵纵横，曰乱。将不能料敌，以少合众，以弱击强，兵无选锋，曰北。凡此六者，败之道也。将之至任，不可不察也。

夫地形者，兵之助也。料敌制胜，计险厄远近，上将之道也。知此而用战者，必胜；不知此而用战者，必败。

故战道必胜，主曰无战，必战可也；战道不胜，主曰必战，无战可也。故进不求名，退不避罪，唯民是保，而利于主，国之宝也。

视卒如婴儿，故可与之赴深谿；视卒如爱子，故可与之俱死。爱而不能令，厚而不能使，乱而不能治，譬如骄子，不可用也。

知吾卒之可以击，而不知敌之不可击，胜之半也；知敌之可击，而不知吾卒之不可以击，胜之半也；知敌之可击，知吾卒之可以击，而不知地形之不可以战，胜之半也。故知兵者，动而不迷，举而不穷。

故曰：知彼知己，胜乃不殆；知天知地，胜乃可全。

译文

孙子说：地形有通形、挂形、支形、隘形、险形、远形六种。我军可以往，敌军也可以来的地域，叫通形。在通形地域，先占领地势高而且向阳，又有利于补给，道路畅通的阵地，就会对作战有利。可以前往，但难以返回的地域，叫挂形。在挂形地域，如果敌军没有防备，我军就可以出击取胜；如果敌军有了防备，出击又不能保证取胜，就难以返回，那就不利了。我军前出不利，敌军也前出不利的地域，叫支形。在支形地域，敌军虽然以利引诱我，也不要出击；

应率军佯装撤退,引诱敌军前出一半时突然回军攻击,这样就会有利。在隘形(两山之间的狭窄山谷地带)地域,我军应该抢先占领,并用重兵封锁隘口,以等待敌军的到来;如果敌军先占领了狭谷,并用重兵把守隘口,就不可以进击;如果敌军没有用充足的兵力把守隘口,我军就可以去进攻。在险形(地势险峻、行动不便的地带)地域,我军应该抢先占领,一定要占据地势较高、向阳一面的制高点,等待敌军来犯;如果敌军已先期到达,占据了有利地形,我军就应该主动撤退,千万不要进攻。在远形(距离遥远之地)地域,敌我双方实力相当时,不便于挑战,如果勉强出战,就会不利。以上这六点,是利用地形的法则,也是将帅们重大责任之所在,不可以不认真考虑研究。

军队打败仗有"走"、"弛"、"陷"、"崩"、"乱"、"北"六种情形。这六种情况的发生,不是天时地理等自然条件造成的灾害,而是将帅用兵的错误造成的。凡是双方实力相当,却要以一击十,必然导致失败而临阵败逃,叫做走。士卒强悍而军官怯懦,必然指挥不灵,士气松懈,叫做弛。军官强悍而士卒怯懦,必然战斗力差,以致全军陷灭,叫做陷。高级将领怨怒而不服从主帅指挥,遇到敌军只凭一腔仇恨而擅自出战,主帅却不知道他的能力,必然导致溃败而如土崩瓦解，叫做崩。将帅怯懦无威严，训练教育士兵没有章法，致使官兵关系不正常，布阵杂乱无章，部队混乱不堪，叫做乱。将帅不能正确判断敌情，用少数兵力去迎击敌人重兵，以弱击强，又没有精锐的前锋部队，必然失败，叫做北。以上六种情况，是造成失败的必然规律，也是将帅的重大责任之所在，不可以不给予认真的考察研究。

地形是用兵打仗的辅助条件。判断敌情，争取克敌制胜的主动权，考察地形的险易，计算路程的远近，这些都是高明的优秀将帅必须掌握的基本方法。懂得这些方法去指挥打仗，就必然胜利，不懂得这些方法而去指挥打仗，就一定失败。

所以，按战争规律分析，必定会取得胜利的仗，即使国君说不要打，也可以坚持去打；按战争规律分析，必然失败的仗，即使国君说一定要打，也可以不打。所以说，将帅进攻不是为了求得个人声名，撤退不回避违命的罪责，唯一的追求是保全百姓，而有益于国君的利益。这样的将帅正是国家的宝贵财富。

对待士卒就像对待婴儿那样百般呵护，士卒就可以与将帅一起共赴患难（谿即溪。深溪，指危险地带）；对待士卒就像对待儿子那样关怀疼爱，士卒就可以与将帅一起同生共死。如果厚待士卒而不使用他们，爱护士卒而不用法令约束他们，士卒违法乱纪而不去惩治他们，那么，士卒就会像骄惯的孩子一样，是不能用来作战的。

只知道自己的军队可以打仗，而不了解敌人不可以攻打，胜利的可能只有一半；只知道敌军可以攻打，而不了解自己的军队不能去攻打，胜利的可能也只有一半；知道敌人可以攻打，也知道自己的军队可以去攻打，但不了解地形条件不宜于向敌军发起攻击，胜利的可能同样只有一半。因此，真正懂得用兵的将帅，行动起来不会迷惑，战术措施变化无穷。

所以说：知彼知己，取胜就不会有差错；知道天时，知道地利，那么，就能取得完全的胜利了。

◎鹳鱼石斧彩陶缸◎

评点

地形对战争的胜败发挥着极其重要的作用，孙子对地形的利弊和正确利用地形的重要性，十分重视。在战前的筹谋划算中，地形是"径之以五事"，比较、分析从而了解敌我双方情况的内容之一（《计篇》："三曰地"）；在两军相对而争利，如何先敌占领优势地形，造成有利态势，是至关重要的问题，因此，"不知山林、险阻、沮泽之形者，不能行军"，成为衡量将帅能否胜任的标准之一；（《军争篇》）在敌我双方战场厮杀，兵刃相加，地形往往成为决定战略战术的主要依靠，"用兵八戒"之"高陵勿向，背丘勿逆"（《军争篇》）"九变之地利"（《九变篇》）等等，都强调根据地形之利弊变换作战方法；地形是"处军"的主要依据，也是"相敌"的重要方面。（《行军篇》）现在又专列《地形篇》而主要论述如何善于利用地形之利，以克敌制胜；紧随其后又有《九地篇》从战略高度审视各种地形的特点，反复强调根据不同地形制定相应作战原则和战术方法的基本思想。孙子对地形的重视，相信没有人怀疑。但是，孙子绝不是"唯条件论者"，更不是"唯地形论者"，没有把地形无限抬高到决定战争胜负的唯一因素的荒唐地步。相反，孙武极力主张的是充分利用地形之利弊，努力造成有利于我军而不利于敌军的局势，从而克敌制胜。"知地之形"、"用地之利"、"得地之利"，是孙武反复强调的重要思想。"地形者，兵之助也"。在孙武看来，地形只是用兵打仗的辅助条件，它有助于战争的成败，却绝不能直接决定敌我的胜负。

既然地形只有"兵之助"，那么，谁又是"兵之主"呢？是统帅之军、指挥作战的将帅，"将者，国之辅也"（《谋攻篇》），"民之司命，国家安危之主"（《计篇》）。可以说，孙武在"十三篇"中时刻都在强调将帅的重要性，无处不在对将帅提出着各式各

◎鹰形金冠顶◎

金冠由上而下分为冠顶及冠带两部分。冠顶上部饰有一雄鹰，头颈由绿松石组成，鹰身及翅由金片制成。头尾分别插入鹰身，并用金丝与腹下相连，二者均能左右摆动。

样、尽善尽美的要求和标准，"善用兵者"是使用频率极高的
词语。在论述到地形的时候，孙子不仅强调将帅应如何正确
认识、使用地形来处置军队、选择战术，充分发挥地形之利
而获得战争胜利，而且往往特意指出优秀的将帅应该具备的基本
品格和素质，反复论述"将之五德"（即"智、信、仁、勇、严"），告
诫将帅警惕和预防错误的发生，如"将之五危"（《九变篇》），并
提出了"令之以文，齐之以武"、"素行教民"（《行军篇》），"爱卒如
子"但绝不溺爱（《地形篇》）和"君命有所不受"（《九变篇》）等为将
的准则规范。在《地形篇》及以后各篇中，情形也是如此。

　　孙武对将帅的重视以及对优秀将帅的要求，论述极为详尽，
占篇幅也相当大，如果将相应的段落集中起来，取名"将帅篇"，
恐怕比现存"十三篇"中任何一篇的分量都要重，篇幅都要长。

◎山西阳泉娘子关◎

但是，"十三篇"中没有专门的《将帅篇》，这到底是孙武的失误
呢，还是孙武有意的安排呢？或可谓，"十三篇"处处言将帅，其实
"十三篇"就是一部"将帅论"。当然，孙武对将帅的重视，是建
立在"用兵趋卒"基础上的，相比之下，对士兵在战争中的主观能
动性和重要作用，没有给予相应的重视，明显存在着严重的偏误
与局限，这是需要明确指出的。但是，孙武在特定的历史条件下，
受各种因素的制约而犯的这一错误，有其必然性，是不好求全责

备，苛求古人的。

本篇虽名《地形篇》，但正如前所述，论述的内容却不局限于地形，同时还包括了战争中的六种败迹和将帅应有的主观素质。

"地有六形"。孙武将战争中经常遇到的地形，根据地形的不同组合和在战争中的作用，分为六种类型——通、挂、支、隘、险、远。并将地形与敌情、我情融为一体，进行综合研究，提出了相应的战术原则。从"地形者，兵之助"的观点出发，孙武要求将帅们把研究、分析、利用地形克敌制胜，作为自己的重大职责（"地之道也，将之至任，不可不察也"）。

"兵有六败"。孙武列举并论述了导致战争失败的六种情况——走（败逃）、弛（松弛）、陷（战斗力弱）、崩（崩溃）、乱（混乱）、北（败北），特别强调这些败迹的出现，"非天之灾，将之过也"，不能怨天，不能怨地，而是由于将帅指挥错误而造成的。这里说的已不是地形了，甚至与自然条件已毫无关系了，结论自然归结到了将帅身上，对于"败之道"，将帅应当做"至任"，认真分析考察，并切记不可犯类似的错误。

"上将之道"。将帅在战争中起关键的决定作用，将帅的水平如何对于战争的胜败有直接关系。孙子在强调将帅要掌握"地之道"、"败之道"之后，专门论述了将帅素质的几个重要方面。其一，"料敌制胜，计险厄远近"，即依托地形判断敌情，决定战略战术；其二，遵循"战道"、"唯民是保"的原则，按照战争的自身规律与战场上的实际情况，决定是否用兵，而不是从"求名"、"避罪"的想法出发，唯君命是从，这样的将帅才是"国之宝也"；其三，爱卒如子，但绝不溺爱，赏罚分明，宽严结合，与

◎汉代调兵用搓银虎符◎

士兵建立起真挚的情感，做到共患难、共死生，使军队有强大的战斗力；其四，了解敌我双方的情况，综合天时、地利、人和等因素，清醒处置，变化战术，获取全胜。在"知已知彼"的同时，孙武特别加上了"知天知地"一条，只有尽知一切与战争有关的情况，才能有效地用地之利、避地之害，用已之长、击敌之短，避免"败兵之道"而依"战道必胜"，于是"胜乃可全"。

"知彼知已，胜乃不殆；知天知地，胜乃可全"，是孙武提出的重要原则，是其全胜思想的进一步阐述。同时，强调"知天知地"，在章法也回扣篇名，首尾照应，兵法之言，颇合文章之道，也值得注意。

三国时蜀丞相诸葛亮曾说过：为将者用兵打仗，需通天文，晓地理。若不晓阴阳，不懂阵图，不明兵势，便是庸才。赤壁之战，诸葛亮趁大雾草船借箭，借东风火烧曹军，确是"知天知地"的绝妙之举。

东晋晚期，后来做了南朝宋国皇帝的刘裕，因镇压农民起义和平定叛乱而官至车骑将军，掌握了东晋朝廷的军政大权。他以恢复中原为号召，训练军队，积极准备北伐。刘裕北伐的第一个目的是南燕。

◎诸葛亮画像◎

刘裕针对南燕国土幅员较小，政治腐败，尤其是没有长远的战略眼光的弱点，力排众议，起兵北伐灭燕，同时制定了沿途筑城、分兵留守，巩固后方、长驱北进的作战方针。公元409年，刘裕率十万大军兵出建康(南京古城)，由水路前进，到下邳(今江苏邳县西南)改由陆路，率兵向琅琊(今山东临沂北)进发。所经之处筑城建堡，留兵把守，以防南燕骑兵袭扰和切断后路。晋军到琅琊时，南燕已将莒城(今山东莒县)、梁父(今山东泰安)守军撤回至临朐、广固(今山东益都县)。晋军欲直至广固攻击燕国都城，但莒城与临朐之间有山高势险的大岘山(今山东沂水北)，其上有号称"齐南天险"的穆陵关，狭仅能通一车，越之不易。另外还有两条路，或取东北向北上，而后转而向西逼近广固，迂远费时；或取直北，转而向东进达广固，山路漫长。翻大岘山既近且直，但其险可畏，若南燕派兵据守，根本无法通过。东晋军一时不知如何是好。刘裕仔细研究了南燕的情况，断然决定取道大岘山北进。刘裕认为，南燕曾数次南下攻入东晋淮北地区，但只掳掠财物人马而不攻城占地，一是乘骑兵之优势，二是贪婪而无长远之计；闻晋军北伐，不战自退，先撤莒城、梁父之兵，可见其不愿与晋军在大岘山南交战，而是准备在临朐、广固一带平坦地域，依托坚城，充分发挥骑兵优势而聚歼晋军，全无战争谋略。加之南燕为鲜卑族政权，游牧成性，爱惜财物，只知驰骋掠夺，而不知深谋远虑，料定不会在大岘山设防，也不会坚壁清野。于是率军取道大岘山北上。南燕闻晋军北上，征虏将军公孙五楼建议扼守大岘，选精兵沿海南下，断其粮道，另派兵马迂回敌后，造成两面夹击之势。但南燕主慕容超坚持已见，决定纵敌深入，然后依城出战。结果，东晋军顺利越过大岘山，接近临朐。南燕不据险而守，也未清野，遍地成熟的麦子，成了晋军的粮源。两军首战水源城，激烈争夺之后，晋军攻占水源，转向攻击临朐。

临朐之战，慕容超派出主力骑兵，快速运动，夹击晋军。刘裕为削弱骑兵在平原作战的优势，以车兵四千分列步兵两翼，以骑兵列于车后机动，组成了步、骑、车相互配合的阵形。兵车在外，骑兵很难冲击，车上长矛却对敌骑构成很大威胁，有效地抵御了燕军骑兵对晋军步兵主力的冲击。双方激战半日，未见胜负。此时，参军胡藩建议选精兵、取小道，奇袭临朐城。刘裕接受建议，派兵迂回奔袭临朐。南燕大军在城外与晋军鏖战，临朐守军兵力薄弱，被晋军一举攻下。临朐失陷，慕容超惊慌失措，即刻撤出战斗，率余部逃到都城广固。

晋军乘胜连夜追击，直逼广固城下。广固城四周绝涧，坚固异常，晋军一时难以攻取。刘裕命晋军环城修筑长墙，将敌军困

于其中，同时就地取粮，准备长期围困。城中慕容超此时不是积极
采取防御措施，而是一心指望盟国后秦的援兵来救，消极等待。晋
军则一方面采用攻心战术，瓦解敌军，一方面利用降将张纲善于制
造攻城器具的特长，设计制造了新的攻城器械。公元410年2月初，
晋军四面攻城，南燕军兵无斗志，尚书悦寿开门迎降，广固城被
克。慕容超率数十骑突围逃脱，后被晋军追获，送东晋都城建康
斩杀。至此，历时近一年，东晋灭南燕之战结束。

　　刘裕之所以成功，在于他善于"料敌制胜，计险厄远近"，
"知彼知己"，了解自己，了解敌人，了解地形对敌我双方的利弊，
正确决定取道大岘山。还在于他"动而不迷，举而不穷"，善于根
据敌情制定战略措施，采用灵活的战术方法。沿途筑城，留兵把
守，以绝后患；正面与敌决战，分兵奇袭空城；以步、骑、车组合的
阵法，克制敌军骑兵之长；四面围城，造械而攻，终克广固。及观南
燕的失败，恰恰与东晋相反，不用地利，不善应变，只知"吾卒之可
以击"，却"不知敌之不可击"，"不知地形之不可以战"，要想取
胜，就难上之难了。

　　成也《孙子》，败也《孙子》，用违之分也。

蜀汉之战

　　蜀汉之战是三国末期魏国蜀汉政权所进行的一次战争，是完成全国统一的前奏。

　　魏国之所以能够取得胜利，完全要归功于西路军主将邓艾的战略指挥得当。在这次战争中，邓艾反其道而行之，避开大道不走，攀高山，开小道，出其不意地直捣蜀国都城成都，一举夺取了胜利。魏国之所以能够取得战争的胜利，除了其总体实力的强大外，蜀汉内部的分裂不和，也是一个很重要的因素；另一个重要因素，就是在战术指导上善于利用地形，果断乘虚蹈隙，以奇袭战胜敌人。在这里充分体现了孙武的"料敌制胜，计险厄远近，上将之道"的基本作战指导思想。

　　公元249年，司马懿发动政变，此次政变，曹魏的军政大权落入了司马懿的手中。他在排除异己的同时，注意笼络士族，调整各方面的关系，广修水利，发展生产，在政治、经济、军事等方面均取得了进展。到了他的儿子司马昭执政时期，魏国已经将吴、蜀两国远远抛在了后面，在政治、经济、军事等方面占有绝对的优势。

　　要说三国中疆域最小，人口最少，实力最弱的国家那就是蜀汉。蜀汉前期在诸葛亮的治理下，政治稳定，经济和军事上也有一定的提升。诸葛亮死后，蒋琬和费祎相继辅政，他们在内政上延续着诸葛亮先前的政策；外交上继续联合吴国抗击强大的魏国；军事上由进攻转为防御。因而还能保持国内的稳定和防御曹魏的能力。

　　公元253年，费祎去世，姜维开始主持蜀国军政。他采取西连羌胡，夺取陇右，伺机夺取关中的策略，他在十年中，先后派兵六次向陇右出击。但是结果却令他十分的沮丧，不但没有取得陇右，反而使得蜀汉兵疲民困，国内的矛盾进一步激化。

蜀汉后主刘禅本就昏庸无能，再加上其重用宦官，造成了政治上的腐败，导致蜀汉政权处于风雨飘摇之中。由于姜维与黄皓矛盾的激化，率蜀军主力远驻沓中（今甘肃岷县南）避祸屯田，使战略要地汉中正面防御薄弱，为魏军的大举进兵提供了机会。

公元262年的冬天，司马昭根据蜀汉当时的情况，制定出灭蜀的计划。为此，他不顾朝臣们的反对意见，积极进行灭蜀的战争准备。公元263年，司马昭战前准备结束，随即颁诏：起兵十八万，大举攻蜀。

雍州刺史诸葛绪率兵三万余切断姜维退兵的归路；镇西将军钟会率主力十二万人分从斜谷、骆谷、子午谷直趋汉中。

公元263年八月，魏军主力自洛阳出发，开始实施灭蜀的计划。

汉中是巴蜀的屏障，益州的咽喉，地处秦岭和米仓山之间，是兵家必争之地，蜀汉方面历来重视对它的防御。诸葛亮、蒋琬、费祎等人都亲率大军驻守，并修建了汉（今陕西沔县东）、乐（今陕西城固东）二城以屯兵，同时依山阻险、重叠交错地部署戍卒扼守诸重要关口。这些措施在对魏作战中曾收到了很好的效果，使魏军的多次进犯都惨败而归。但自姜维将蜀汉主力部队调往沓中后，汉中的蜀军人数不到三万，兵力薄弱。姜维还改变了汉中历来的防御方针及设施，采取了收缩兵力，防守要城，诱敌深入，然后乘敌疲惫而出击的方针。这一作战方针从理论上看没有错，但是在当时魏强而蜀弱的条件下，采取这一作战方针，无异于引狼入室，自取灭亡。

"钟会治兵关中，欲窥进取"的消息很快传到了姜维的耳朵里，但将信将疑的姜维并没有及时改变作战部署，立即将蜀军主力转移到汉

◎曾侯乙尊盘盘口◎

中，抗击魏军的进犯。而只是上表刘禅，建议派遣张翼、廖化率军守卫阳安关口和阴平桥头。但这一建议未能实施，蜀汉方面再次错过了抗击魏军的机会。

公元263年九月初，魏军分兵三路，同时向汉中、沓中、武街与桥头进发。蜀汉见状忙派遣廖化率军支援姜维；派遣张翼与董厥率军去阳安关防守魏军的进攻。在魏蜀两军实力悬殊的情况下，蜀汉的退守，无疑给魏军的进兵提供了难得的良机。

魏将诸葛绪的一支部队向建威（今甘肃成县西北）前进时，廖化的部队刚到阴平，部队没有及时占领桥头孔道，而是在阴平驻扎，结果桥头孔道被诸葛绪抢占。这样，就断了姜维的路。而行动过于迟缓的张翼、董厥部队，也没能及时赶到阳安关。这时，蜀军主力姜维部队还远在沓中，蜀军汉中外围部队已撤了下来，张翼等部援军还没到，汉中蜀军的防务部署完全陷入了被动。钟会乘机突入汉中平川，占领了阳安关，杀死阳安关的蜀军守将傅佥。随后派兵进围攻汉、乐两座城池，并亲率主力长驱直入，打算一举拿下剑阁，直逼成都。

与此同时，姜维率蜀军主力向汉中移动。在东移过程中，蜀军遭

到了邓艾军的追击,损失很大,但因指挥得当,很快便摆脱了邓艾的部队。

几天后,姜维的军队进入阴平一带。这时,魏军的庸将诸葛绪犯了一个严重的错误。当时诸葛绪已占领了武街和阴平桥头,姜维已经没有了退路,姜维将计就计故意北出孔丞谷(今甘肃武都西南),向诸葛绪侧后迂回。诸葛绪没看出这是姜维的调兵之计,把军队后撤30里,让出了本可以扼杀姜维的要道。

姜维见诸葛绪中计,立即通过桥头,与廖化、张翼、董厥等人的部队回合,迅速退守到剑阁。因为剑阁地势险峻,易守难攻,是汉中通往成都的咽喉之地。姜维凭借剑阁的险要,设防固守,钟会大军久攻不克。因军资匮乏,钟会无计可施,只有退兵。由此可见,魏军对阴平桥头的丢弃,是重大的失误,由于有此失误,蜀军才能侥幸得以喘息,两军战场上的局面似乎有些缓和。

◎城砖◎

驻守在阴平的邓艾见钟会有撤兵之意,急忙向钟会提出偷渡阴平的袭击方案。邓艾分析当时的形势提出对策:"现在的蜀军遭受了沉重打击,应乘机进攻。倘若从阴平出发,由小道出剑阁,去成都仅三百余里,出奇兵袭击蜀汉的腹地。如果姜维放弃剑阁而救援涪城,您就率兵长驱直进;如果姜维仍驻守剑阁,涪城肯定空虚,便可取下成都。灭蜀是肯定能做到的。"钟会同意了邓艾的建议。

十月中旬,邓艾选精兵一万人从阴平出发,派2万人负责押送军需粮草。邓艾军沿白水河谷(景谷)东行,登上摩天岭,行经荒无人烟的山陵地带七百余里,凿山开道,架设便桥。山高谷深,军粮又逐渐不继,处境相当危险。邓艾鼓励士兵说:快速进入平地,就有粮食,否则就只有被饿死在这里。至马阁山时,路不能通。邓艾身先士卒,用毛毡裹着身体,从山上一滚而下。兵士也都手攀树木,沿着悬崖,一个接一个地越过深涧。邓军很快抵达江油(今四川江油),蜀江油守将马邈毫无准备,猝不及防,向魏军投降。魏军得到给养补充,士气大振,邓艾率军迅速向涪县(今四川绵阳东)挺进。

江油失守后,刘禅派遣军师诸葛瞻率军迎击邓艾。诸葛瞻抵达涪县后,没有继续前进,而是将部队停了下来,部将黄崇说:"宜速行据

险，无令敌得入平地。"但诸葛瞻并没有采纳他的
意见。邓艾便很轻松地抵达涪县，击败了诸葛瞻的前军，无奈之下的
诸葛瞻被迫退守绵竹(今四川德阳)。邓艾命令其子邓忠和司马师篡
分左、右两路夹击诸葛瞻军，首战失利，但次战却大获全胜，击杀了
诸葛瞻及其子诸葛尚，攻克了绵竹。

绵竹之战蜀军的全军覆没，使蜀国举国上下更陷入一片混乱之
中，大臣谯周等人极力主张投降。刘禅眼见邓艾大军兵临城下，成都
难守，此时的他已经是无路可退了，于是在同年的十一月自缚请降，
邓艾大军进占成都，刘备辛苦打下的江山就这样在刘禅的手中覆灭
了。

从魏灭蜀这场战役上来看，凸显出双方对地形的认识和判断，
这无疑对战争的进程产生了重要的影响。蜀军根本就没有意识到蜀
地地势险要的优势所在，疏于戒备，违背了孙武提出的："隘形者，
我先居之，必盈之以待敌"的原则，而让主力远驻沓中，给魏军的进
军提供了可乘之机，当占据剑阁成功，遏制了魏军攻势之后，也未能
考虑到敌从阴平偷渡的可能性，以至腹背受敌。而诸葛瞻军未能及
时进兵据守要地，则使偷渡阴平获得成功的邓艾军更加牢牢掌握了
战争的主动权，终于导致国家破灭，军队败亡。

魏军方面则充分认识到了利用地形、避实击虚的重要性。尤其
是邓艾出奇制胜，翻越天险，袭取成都，实堪为"敌尤备，小而胜之"
的杰出典范。而魏军在此役中曾经一度兵顿剑阁之下，几乎功败垂
成，其原因也在于诸葛绪不守阴平桥头这一险阻，姜维军从容退守
剑阁的失策。魏军作战指导上得失两方面的经验教训，都证明了作战
中运用地形条件，出奇制胜的必要性。

九地篇第十一

开篇

　　本篇是《孙子》十三篇中篇幅最长、内容也是最为杂芜的一篇，全文竟有一千一百字左右，这在为文简约、论理严谨的十三篇中几乎占到六分之一，实属罕见。本篇文字简拙，不少地方难见孙武惯用之譬喻、排比、对照的精妙之笔。因而有研究者怀疑本篇与其他篇有窜文嫌疑，"不类《孙子》之文体"。

原文

　　孙子曰：用兵之法，有散地，有轻地，有争地，有交地，有衢地，有重地，有圮地，有围地，有死地。诸侯自战其地者，为散地；入人之地而不深者，为轻地；我得亦利，彼得亦利者，为争地；我可以往，彼可以来者，为交地；诸侯之地三属，先至而得天下之众者，为衢地；入人之地深，背城邑多者，为重地；山林、险阻、沮泽，凡难行之道者，为圮地；所由入者隘，所从归者迂，彼寡可以击吾之众者，为围地；疾战则存，不疾战则亡者，为死地。是故散地则无战，轻地则无止，争地则无攻，交地则无绝，衢地则合交，重地则掠，圮地则行，围地则谋，死地则战。

古之善用兵者，能
使敌人前后不相及，
众寡不相恃，贵贱
不相救，上下不
相扶，卒离而不
集，兵合而不齐；
合于利而动，不合于利而止。敢问：
"敌众整而将来，待之若何?"曰："先夺其所爱，则听
矣。"兵之情主速，乘人之不及，由不虞之道，攻其所不戒也。

凡为客之道，深入则专，主人不克；掠于饶野，三军足食；谨养而勿劳，
并气积力；运兵计谋，为不可测。投之无所往，死且不
北；死焉不得，士人尽力。兵士甚陷则不惧，无所往则
固，入深则拘，不得已则斗。是故其兵不修而戒，不求
而得，不约而亲，不令而信，禁祥去疑，至死无所
之。吾士无余财，非恶货也；无余命，非恶寿
也。令发之日，士卒坐者涕沾襟，偃卧者
涕交颐。投之无所往者，诸、刿之勇
也。

故善用兵者，譬如率然。率
然者，常山之蛇也。击其首
则尾至，击其尾则首至，
击其中则首尾俱至。敢问：
"兵可使如率然乎?"曰：
"可。夫吴人与越人相恶
也，当其同舟济而遇风，其相救也
如左右手。"是故方马埋轮，未足恃也。齐勇若一，政之道
也，刚柔皆得，地之理也。故善用兵者，携手若使一人，不得已也。

将军之事，静以幽，正以治。能愚士卒之耳目，使之无知；易其事，革
其谋，使人无识；易其居，迂其途，使人不得虑。帅与之期，如登高而去其
梯。帅与之深入诸侯之地，而发其机，焚舟破釜；若驱群羊，驱而往，驱而
来，莫知所之。聚三军之众，投之于险，此将军之事也。九地之变，屈伸之

利，人情之理，不可不察也。

　　凡为客之道，深则专，浅则散。去国越境而师者，绝地也；四达者，衢地也；入深者，重地也；入浅者，轻地也；背固前隘者，围地也；无所注者，死地也。是故，散地，吾将一其志；轻地，吾将使之属；争地，吾将趋其后；交地，吾将谨其守；衢地，吾将固其结；重地，吾将继其食；圮地，吾将进其途；围地，吾将塞其阙；死地，吾将示之以不活。故兵之情，围则御，不得已则斗，过则从。

　　是故不知诸侯之谋者，不能豫交；不知山林、险阻、沮泽之形者，不能行军；不用乡导者，不能得地利。四五者一不知，非霸王之兵也。夫霸王之兵，伐大国，则其众不得聚；威加于敌，则其交不得合。是故不争天下之交，不养天下之权，信己之私，威加于敌，故其城可拔，其国可隳。

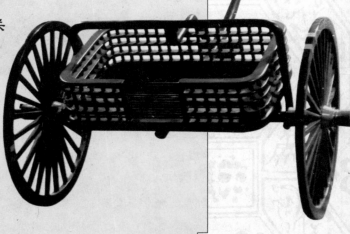
◎春秋战车◎

　　施无法之赏，悬无政之令，犯三军之众，若使一人。犯之以事，勿告以言；犯之以利，勿告以害。投之亡地然后存，陷之死地然后生；夫众陷于害，然后能为胜败。

　　故为兵之事，在顺详敌之意，并敌一向，千里杀将，是谓巧能成事。

　　是故政举之日，夷关折符，无通其使；厉于廊庙之上，以诛其事。敌人开阖，必亟入之，先其所爱，微与之期。践墨随敌，以决战事。是故始如处女，敌人开户；后如脱兔，敌不及拒。

译文

　　孙武说：按照用兵的原则，战场的种类有散地、轻地、争地、交地、衢地、重地、圮地、围地、死地九种。在本国境内作战的地区，叫做散地；进入敌国境内作战，但没到深入的地区，叫做轻地；我占领对我有利，敌人占领对敌人也有利的战场，叫做争地；我可以前往，敌军也可以到来的战场，叫做交地，同时与几个国家接壤，谁先占有就可以与各国结交，得到援助的地区，叫做衢地；深入到敌国腹地，背后有敌国许多城镇的地区，叫做重地；山岭、森林、险阻、沼泽、水网，以及一切难于通行的地区，叫做圮地，进路狭窄，退路迂远，敌军用少数兵力就可以袭击我大部队的地区，叫做围地；奋起速战就可能生存，不奋起速战就可能全军覆灭的地区，叫做死地。因此，在散地不宜轻易进行战争，在轻地便不要停留，在争地不要发动进攻，在交地要保证行军序列不脱节断绝，在衢地应主动结交邻国，深入重地就要掠取敌国粮食，遇到圮地要迅速通过，陷入围地要设奇谋突围，到了死地只有奋勇作战，死里求生。

　　古代善于指挥作战的人。能使敌军前队与后队不能互相策应，主力部队与小分队不能相互依靠，长官与士卒不能互相救援，上级与下级失去联络不能协调，士卒溃散就再难聚合，集合起来的部队阵形不能整齐；对自己的军队来说，则是有利于我就战，不利于我就不战。试问："假如敌人众多而且阵容齐整来向我进攻，该怎样应付它呢？"回答是："抢先夺取敌人最重视最关键的有利地方和东西，敌人就不得不听从我的摆布了。"用兵的情理重在快速，乘敌人措手不及的时机，走敌人意想不到的道路，攻击敌人没有戒备的地方。

　　进入敌国境内作战的一般规律是：深入腹地作战，将士们就会意志专一，敌人将不能战胜我们；在丰饶的田野上掠取粮草，使全军人马有足够的食物；注意休整，使军队不过于疲劳，凝聚士气，积蓄力量；部署兵力，巧用计谋，使敌人无法揣测我军的动向和意图。把部队投入无路可走的绝境，士兵就会宁死不退；士兵既然连死都不怕，还有什么事情办不得呢？那样，全军将士必然会竭尽全力与敌人殊死作战。士卒们深陷绝境，

反而会无所畏惧；无路可走了，军心反
而能稳固；越是深入敌境，部队的
凝聚力就越强；在不得已的情
况下，将士们就会殊死战斗。
正因如此，这样的军队不需
要整饬就会自觉加强戒备，无
需强求就能完成自己的任务，无
需多加约束便能亲密团结，不需要三
令五申，就能遵守纪律。禁止迷信，消除疑
虑，部属就能至死不会逃跑。我军的将士没有多余的钱财，并不是他
们不爱财物；他们将生死置之度外，并非是厌恶长寿。出征命令颁布
之日，士卒坐着的，眼泪流湿了衣襟；躺着的，眼泪流满了脸颊。把他
们投到无路可走的绝境，他们就会像专诸(春秋吴国勇士，用鱼腹剑
刺死吴王僚)、曹刿(春秋鲁国武士，以匕首挟持齐桓公退还鲁国失地)
一样的勇敢了。

◎镂雕玉龙◎
青玉质，呈玻璃光，土沁
重，皮壳较厚。

　　善于统率军队的人，能使部队像灵蛇率然一样。率然是常山(即
恒山)的灵蛇。打灵蛇的头，它的尾巴就会来救应；打它的尾巴，头就
会来救应，打它的腰，头尾都来救。试问："可以让军队也像常山灵
蛇一样吗？"回答是："可以。吴国人和越国人本来相互仇恨，但当他
们同坐一条船渡河，遇到风暴时，他们相互救援也会像一
个人的左手和右手一样。"因此，想用系紧马缰、深埋
车轮来向士卒表示死战的决心，是靠不住的。使全军
上下齐心协力、英勇奋战如同一人，才是治理军队
应遵循的原则。使刚强的和柔弱的都充分发挥作
用，关键在于合理利用地形。所以，善于用兵的人，总是
能使全军上下携手团结得像一个人，这是由于客观
形势迫使不得不如此。

　　主持军政大事，要做到沉着冷静、幽深莫
测，公正严明而有条不紊。要能蒙蔽士兵的耳目，
使他们对军事行动一无所知；变动军队部署，改
变原定计划，使别人无法识破机关；经常改换驻
地，故意迁回行军路线，让别人无从推测自己的意
图。将帅向部下授予作战任务，要像让他登上高处就抽
掉梯子一样，断其退路。将帅与士卒深入敌国领土作战，要

像扣动弩机射出的箭一样，一往
无前；烧毁船只，砸破
炊具，表示必死决
心。指挥士卒像驱
赶羊群一样，赶它
去就去，赶它来就来，
而不让他们知道究竟要
到哪里去。聚合三军将士，把他们投于险恶
的境地，迫使全军拼死奋战，这是将帅统
率军队的重要任务。对于九种地形的变化
处置，攻防进退的利害得失，将士们心理情
感的变化规律，将帅们都是不能不认真研究考
察的。

◎铜牛尊 西周中期◎

在敌国境内作战的一般规律是，越是深入敌国腹地，全军的意
志便越是专心一致，进入敌国越浅，军心越容易涣散。离开本国越
过敌境作战的地区，叫绝地；四通八达的地区，叫衢地；深入敌国
的地区，叫重地；进入敌境较近的地区，叫轻地；后有险固前为隘
路的地区，叫围地；无处可走的地区，叫死地。因此，在散地，我们
就要统一部队的意志；进入轻地，我们就要使阵营紧密相连；进入
争地，要使后续部队迅速跟进；过交地，要谨慎严密防守；临衢地，
要巩固与邻国的结盟；在重地，要重视保证粮草供应不断；经圮地，
要加快速度通过；陷围地，就要堵塞缺口；到死地，就要表现出与
敌死战到底的决心。因为，将士的心理是，陷入了包围，便会奋力抵
抗；迫不得已的情况下，便会拼死奋争；深陷绝境，就会听从指挥。

因此，不了解各诸侯国的战略企图，就不能预先与他们结交；
不了解山林、险阻、湖沼等地形，便不能行军打仗；不使用当地人做
向导，便不能得到地形之利。这些方面，有一方面的情况不了解，就
不能成为争王称霸的军队。真正强大的军队，进攻大国，能使敌人
的军民来不及动员集中；威力加在敌人头上，就使它的盟国不敢与
其结交。因此，不必争着与天下诸侯结交，也不用在别的诸侯国培
植自己的势力。只要施展自己的战略计策，把兵威加在敌国之上，
就可以攻占他们的城池，摧毁他们的国家。

施行破格的奖赏，颁布非常的号令，指挥(犯，发作，发生，引
申为使某事进行)全军上下就能像指挥一个人一样。向部下布置作

战任务，不要向他们说明意图；只告诉他们有利的条件，无需指出不利因素。把士卒投进最危险的地区，才有可能转危为安；陷士卒于死地，才能起死回生；全军将士陷于危难之中，然后才能赢得胜利。

　　所以，指挥战争，在于假装顺从敌人，却仔细了解敌人的战略意图，然后集中兵力攻击一点要害，便可以千里奔袭，擒敌杀将，这就是说，巧妙用兵能成大事。

　　因此，在决定对敌作战、举兵出征时，要封锁关口，废除通行证件，不许敌国使者往来；召集群臣，在朝廷反复商讨征伐大计。敌人一旦出现间隙，一定要迅速乘机而入，首先夺取敌人最看重的战略要地，不要轻易与敌人约期决战。破除陈规，一切根据敌情变化，灵活决定自己的作战计划和行动。因此，在战前要像处女那样娴静，不露声色，诱使敌人松懈警惕，门户大开；一旦战争开始以后，就要像脱逃的兔子一样，迅速异常，使敌人措手不及，无从抵抗。

◎山海关◎

评点

　　《九地篇》之名，与《地形篇》类似，就名而言，应是后者的一个部分；其中不少内容，如篇首罗列之九种地形、文中关于"三不知"的用兵之忌，又与前几篇的有关论述重复。如《军争篇》已论及"三不知"，此处不过是原文照抄；《九变篇》已有关于"圮地、衢地、绝地、围地、死地"的论述。就在本篇之中，也是两论"九地"。同时，本篇文字简拙，不少地方难见孙武惯用之譬喻、排比、对照的精妙之笔。因而有研究者怀疑本篇与其他篇有窜文嫌疑，"不类《孙子》之文体"。似有些道理，亦可解释篇长文冗之故。

　　尽管《九地篇》有可能在传承过程中发生了窜简复沓，确实存在某些错讹难解之处，然而，绝不可因此而怀疑或者否定《九地篇》的独立价值，更不可猜测其真实性，即使是望文生义，仅从题目出发去理解《九地篇》，也是不应该的。

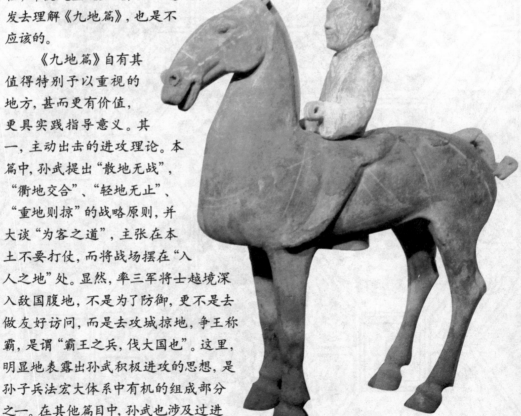

◎骑马指挥陶俑◎
骑马陶俑骑兵俑相当于真人真马的四分之一左右，制作精细，造型优美。

　　《九地篇》自有其值得特别予以重视的地方，甚而更有价值，更具实践指导意义。其一，主动出击的进攻理论。本篇中，孙武提出"散地无战"，"衢地交合"、"轻地无止"、"重地则掠"的战略原则，并大谈"为客之道"，主张在本土不要打仗，而将战场摆在"入人之地"处。显然，率三军将士越境深入敌国腹地，不是为了防御，更不是去做友好访问，而是去攻城掠地，争王称霸，是谓"霸王之兵，伐大国也"。这里，明显地表露出孙武积极进攻的思想，是孙子兵法宏大体系中有机的组成部分之一。在其他篇目中，孙武也涉及过进攻，但都是对战争这一现象做整体把握的前提下，将进攻与防守，进攻与谋略、地形、军争形势结合起来，作为用兵的一个方面来论述的，而《九地篇》却是将进攻作为主要对象和内容，加以专门的讨论。对于九种地形的解说和应该采取的战术措施，也是从这个角度、这一意义上加以强调和展开的。这样，就使《孙子》成为一个完整圆满的体系，也可以在某种程度上破解文字上重复叠加的疑惑。

孙武的进攻战术，集中在两点，即所谓"为客之道"与"政举之日"的相关措施。孙武的"为客之道"，要点是"深入则专"，"投之无所往，死且不北；死焉不得，士人尽力"。主张大胆深入敌国腹地，"聚三军之众，投之于险"，"众陷于害，然后能为胜败"；"焚舟破釜"，置死地而后生。利用士兵陷于绝境之中的求生本能欲望，以及由此产生的拼争力和勇敢精神，来改变局面(对统帅者来说，则是实现其既定目标)，这是有一定道理的。同时，配合以快速行军，突然袭击，制敌于乱或"先夺其所爱"，迫使敌人听从调遣；团结内部，"齐勇若一"、"并敌一向，千里杀将"；"威加于敌，则其交不得合"，使所攻之国孤军奋战；"顺详敌之意"、"始如处女"，用假象迷惑敌人，令其"开阖""开户"，然后"乘人之不及，由不虞之道，攻其所不戒"，"巧能成事"。如此，"其城可拔，其国可隳"的愿望，即可实现。

孙子曰："兵者，诡道也"，"兵以诈立"。在进攻时，孙子特别强调对战略意图的掩蔽。假意顺从，伪装沉静，都是为了掩盖进攻的真相，迷惑敌人。即使是对部属，也应愚其耳目，"使之无知"。不仅如此，孙子还提出某些具体的措施：战前即封锁消息，"夷关折符，无通其使"；战中突然袭击，"先其所爱，微与之期"；一切依据实际情况而不拘于成规定俗，"践墨随敌，以决战事"。"始如处女，敌人开户；后如脱兔，敌不能拒。"是孙子对于"政举"过程要点的极为形象的概括。

其二，聚三军之众的心理措施。孙子从人的情感、情绪和心理因素出发，探讨如何利用各种地形，充分调动将士们的战斗积极性，防止和克服可能出现的种种消极心理，并将此视为决定战争胜败的重要

因素，这是很有见地的，在当时更是十分难得的。

打仗靠士气。孙子亦极重士气，"三军可夺气"、"避其锐气，击其惰归"（《军事篇》）。所谓士气，就是人在不同环境下的复杂心理活动的反映，是情绪、情感的表现，它的形成有主观与客观两方面的条件。在一定情况下，客观条件对人们心理活动的影响，情绪、情感的调动，有着十分直接的作用。孙子对不同地形中如何用兵的论述，就充分看到了战场环境对参与战争的人的情绪、情感和心理的特殊影响，并相应提出了化解消极心理、激发积极心理的有关措施。比如"散地无战"，"吾将一其志"。在本土不打仗，当然有使本国人力财力免受损失的考虑，但主要的原因是在家门口打仗，士卒容易产生恋家情绪而斗志涣散，因此，将帅应抓紧管理，统一官兵的意志，鼓舞他们的士气。在进入敌国不远的"轻地"，士卒离本土不远，危急时容易产生退归故国的念头，针对如此具体情况，孙子主张"轻地则无止"，"使之属"，即在这样的地区不可停留，继续深入，而且要注意使部队保持连接，防止士兵松懈斗志，甚至离队逃脱的情况发生。而"深入则专"，在远离国境、深入敌国腹地的地区，后退已无路，前进则多险阻，军队上下的意气便容易统一，力量集中，"并敌一向"。

孙子论述的重点是"死地"、"险地"。环境的无情挤压逼迫，可以使人爆发超常的智慧和力量，这是被无数事实和科学理论反复证明了的。孙子总结当时战争的经验，看到了这一现象，其观点正与心理学的基本规律暗合，是相当高明的。他说："故兵之情，围则御，不得已则斗，过则从。"这是因为，人在走投无路的时候，求生便成为第一位的事情，就会无所畏惧，奋力抗争，以求得解脱。"兵士甚陷则不惧"，"不得已则斗"，因而，"投之无所往，死且不北"、"投之亡地然后存，陷之死地然后生"，起死回生、反败为胜。从"合于利而动，不合于利而止"的原则出发，孙子主张，将帅应设法造成一种无路可走的情境，从而激发官兵的斗志，去争取胜利，为此，甚至应该"愚士卒之耳目，使之无知"。"投之无所往"、"登高而去其梯"、"焚舟破釜"、"投之亡地"、"陷之死地"，都应是将帅的主观愿望和主动行为，"聚三军之众，投之于险，此将军之事也，"是"九地之变，屈伸之利，人情之理"的具体运用。孙子对"置死地而后生"的钟爱，可见一斑。

这里，孙子没有对其他情况的分析，因而容易给人以凡战必致死地才可能获胜的感觉。另外，士气的鼓舞，斗志的激发，完全靠危势逼迫，甚至愚弄蒙蔽，也欠妥当。这是需要甄别而加以剔除的。

本篇中，对于兵贵神速、隐蔽突击的论述，对将帅指挥能力的要求，也有许多精彩之处。如"兵之情主速，乘人之不及，由不虞之道，攻其所不戒"；"将军之事，静以幽，正以治"，"善用兵者，携手若使一人"，"践墨随敌"，等等。而"兵可使如率然"，"始如处女，敌人开户，后如脱兔，敌不及拒"，更是绝妙之语，是孙子为文之本分。

◎镶石舞人圆形铜扣饰◎
扣饰正中嵌玛瑙珠及绿松石小珠，其外透雕人像一周，共18人，衣后皆饰尾，手挽手，腿部微曲作旋转舞蹈状。

"众陷于害，然后能为胜败"，不只是一种理论，更是可能的事实。

公元前208年，秦国攻打赵国都城巨鹿，赵军兵败被围，巨鹿危在旦夕。赵王一面命大将陈余出战抗敌，一面派人向齐、燕、代、楚等求救。慑于秦军威势，陈余不敢出战，只在城外拒守，齐、燕、代几国的援兵也进到巨鹿附近，便不敢再向前。只有项羽率领楚军投入了救赵战斗。项羽骁勇异常，不久前杀死了宋义，楚怀王迫不得已，任命项羽为上将军。接到赵军求救，项羽便领兵出战。渡过漳河后，项羽即下令全军将士，沉掉船只，砸破釜甑，烧毁营舍，每人只带三天干粮，誓于秦军决一死战。楚军上下面临绝境，又见主帅项羽英勇慷慨，人人怀必死之心，奋力前行，直抵巨鹿城下。

秦将王离调遣军队迎敌楚军。两军相逢，秦军还未展开阵势，楚军早已一齐冲上，乱砍乱杀，勇不可挡，猝不及防的秦军竟三战三退。秦将章邯见王离兵败，率大军前来增援。两军对阵，秦军甲仗齐整，队伍雄壮，兵多将广，其势如泰山压顶；但见楚军衣甲简陋，步伐粗疏，三五成群，各自为战，全然不成阵式，只知横冲直闯，似毫无训练的散兵游勇。做壁上观的燕、代、齐各国将士，都捏了一把汗，以为楚军必败无疑。殊不知，这正是项羽用兵的精妙之处。项羽清楚，秦楚兵力悬殊，如果按成规兵对兵、将对将，列阵对抗，楚军一人对付秦军二人还不够分配，败局已定。项羽从战场情势出发，灵活处置，自己身先士卒，冲杀在前，命将士不拘阵式，各自为战，只求杀敌取胜。楚军破釜沉舟，已无后退之路，唯有奋勇向前才可能有活路。将士们又见主帅冲锋在前，士气大振。于是怒气冲斗牛，以一当十，以十当百，呼声震天，秦军闻声丧胆，刀斧过处，秦军尸横遍野。章邯曾在项羽面前吃

◎战鼓◎

过败仗，今日之阵势，更令他胆战心寒，战不过几个回合，便败退而去，秦军伤亡十有三四。项羽也不追击，而是下令宿营休息，饱食干粮，以便再战。第二日出战前，项羽命令将士：今日务必尽扫秦兵。我军粮食已尽，不胜将全军覆灭。是死是活，就在此一战。并命将士杀敌后，只管向前，不必考虑阵形与别人的策应。将士得令，个个争先。才进入战场，便一声呼啸，直向秦军杀去。章邯刚上阵便陷于被动，虽极力催促部下向前，但总敌不过楚军英勇猛烈，秦军一退再退，五进五退之后便溃不成军。章邯仓皇率残部逃回了秦军大营。王离在项羽大战章邯时，勉强守住了本寨，但绝不敢出战。项羽便命英布等领兵堵住道路，自己亲率军马攻打王离，一鼓作气，直捣王离营门。王离想夺路逃跑，却被项羽堵住了出路，只三四个回合，便被楚军生擒了。

从项羽率军抵达巨鹿城下，与秦军大战九个回合，楚军连连取胜，三日之内便将势力强大的秦军击溃，巨鹿之围一举而解。

项羽的成功，除自己骁勇善战，身先士卒而外，"破釜沉舟"、自断退路，"践墨随敌"、各自为战，是更为重要的原因。"项羽麾兵解巨鹿之围"，不仅成为战争史上的一段佳话，受到后代兵家推崇；也是孙武《九地篇》攻击理论的一次成功运用，生动地证明了"置死地而后生"的真理性和普遍适应性。

战例

兵现死地而后生

秦朝灭亡后，刘邦与项羽为争夺天下，展开了一场殊死搏斗，这就是历史上有名的楚汉之争。这场战争最后以项羽的失败而告终，而起决定性作用的战役之一就是发生在公元前203年的韩信破赵之战。

当时，刘邦的军队在彭城战败，原来曾依附于刘邦的赵、魏等国便乘机反叛，与项羽结盟。为了翦除项羽的羽翼，刘邦任命韩信为左丞相，北上收略三晋之地。

韩信出兵以后，以迅雷不及掩耳之势攻下了魏、代等国，随即与张耳会合，引兵数万，东出井陉口，攻打赵国。

赵王赵歇闻知韩信将要攻打赵国，急忙与成安君陈余率兵屯驻在井陉口，号称有军队二十万，一场大战在即。

夜半时分，赵国的广武君李左车来到了成安君陈余的帐中，向陈余献上了一条妙计："我听说韩信自出兵以来，涉过西河，俘虏魏王魏豹，生擒代相夏说，阏与一战，血流成河，现今又有张耳辅佐，正在计议攻打赵国，这是一支乘着胜势，离国远征，锐不可当的军队。"

稍稍停顿了一下，李左车又说："不过，我听说，从千里以外运送粮食，战士将难免面有饥色，砍伐薪柴以后再做饭，军队将难以吃上晚饭。井陉一带，道路险要，战车不能并行，骑兵也不能列队通过，韩信的军队绵延数百里，他们的粮草辎重必然在军队的最后。请您拨给我奇兵三万人，从小路上阻隔他们的粮道，足下在正面深沟高垒，坚守营栅，不与韩信交战，我率领的奇兵断绝他的后路，使他们在野外也抢不着什么东西。韩信的军队前不能战，后不能退，用不了十天，韩信、张耳二人的首级将会送到军前，但愿您能重视我的意见。不然的话，就只能被他们二人所擒了。"

成安君陈余，本来是一个儒生，常常声称用义兵而不用诈谋奇计，在听了李左车的意见以后，不以为然地说："兵书上说，十倍于敌

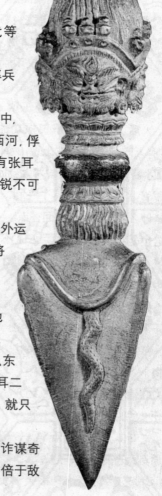

人则围之，二倍于敌人则与敌人交战，现在韩信的军队号称数万，其实不过数千，不远千里奔袭我国，已经是极为疲劳，对于这样的军队我们尚且回避，以后再有人带着更多的军队攻打我们，我们将怎么办呢?那样，其他的诸侯也会认为我们怯懦，轻易地来讨伐我们了。"

这时，韩信一直在井陉口外观察着陈余的动静，在探知陈余没采用李左车的计谋以后，当即率兵直入井陉狭道，在离井陉口三十里的地方驻扎下来。

夜半时分，韩信传令军中出发，选二千轻骑，手持汉军旗帜，准备偷袭赵军营垒，又派一万人在回星河背水为阵，赵军望见汉军背水为阵，不禁大笑。天明的时候，韩信令军士张开大将旗帜，鼓噪而行，走出井陉口，赵军出寨迎战，交战许久，韩信与张耳佯败，退到河边的军阵中。赵军见状，倾巢而出，追逐韩信和张耳。韩信预先选出的二千骑兵乘机冲入赵军寨栅，拔下赵军旗帜，插上汉军的红旗，而韩信则指挥士兵背水死战。赵军急战不胜，便打算收兵回营。猛然间，发现自己的营垒已经遍插汉军旗帜，全军

◎韩信忍"胯下之辱"◎

上下一片大乱，汉军两面夹击，大破赵军。一举击毙陈余，生擒赵王歇。

战后，在将士们祝贺报功的时候，有人问韩信："兵法上说，两军交战，要背靠山陵，面向水泽，而将军背水为阵，却取得了胜利，这是什么原因呢?"韩信回答道："这也是符合兵法的，兵法上不是说:'兵陷之死地而后生，置之亡地而后存吗?'"

兵法是辩证法，不是教条，变不利的地形以激励自己的士气，韩信不愧是战无不胜的大将。

韩信在破赵之战中，还善于做到在作战指导上贯彻"先夺其所爱，则听矣"的原则。他突袭占领赵军大营，树起汉军的大旗，极大

地瓦解了赵军的斗志，为聚歼赵军创造了有利的条件。

无论是背水列阵还是袭占赵军大营，其前提都是韩信准确抓住了敌人心理。正是韩信了解了陈余的轻敌情绪，韩信才敢于背水列阵，以进一步诱导陈余放松对赵军的警惕。正是陈余的狂妄轻敌，才会有他后来的倾巢出动进击韩信，使大营空虚，给赵军以可乘之机。韩信"顺详敌之意"达到了炉火纯青的境界，而陈余实在不是他的对手，兵败身死，固所宜也！

历代名将

岳飞

岳飞（公元1103年～公元1142年），字鹏举，南宋时著名军事将领，民族英雄，军事家、抗金名将。

岳飞是中国古代名将中军事才能最全面的一员，他善于野战、城邑攻坚战、山地攻坚战，防御战、水战，名将宗泽称其："勇智才艺，古良将不能过。"岳飞不但在战术上善于指挥，而且当时南宋对金国采取防御战略，并组织多次成功的反击作战。后被奸臣秦桧所害。

岳飞作为我国历史上的民族英雄，其精忠报国的精神深受中国各族人民的敬佩。他在出师北伐、壮志未酬的悲愤心情下写的千古绝唱《满江红》："怒发冲冠，凭栏处、潇潇雨歇。抬望眼，仰天长啸，壮怀激烈。三十功名尘与土，八千里路云和月。莫等闲，白了少年头，空悲切。靖康耻，犹未雪，臣子恨，何时灭！驾长车，踏破贺兰山缺。壮志饥餐胡虏肉，笑谈渴饮匈奴血。待从头，收拾旧山河，朝天阙！"至今仍是令人士气振奋的佳作。其率领的军队被称为"岳家军"，金人流传着"撼山易，撼岳家军难"的名句，表示对"岳家军"的最高赞誉。

火攻篇第十二

开篇

　　火攻，是古代作战的重要方法之一。在冷兵器时代，火攻作为一种特殊有效的进攻手段，作用就更明显。孙武较详细地论述了如何实施火攻的有关问题，是因当时战争的特点决定的，说明了孙武对火攻的重视，反映了他在研究具体作战方式、作战手段上，是相当的缜密。

原文

　　孙子曰：凡火攻有五：一曰火人，二曰火积，三曰火辎，四曰火库，五曰火队。行火必有因，烟火必素具。发火有时，起火有日。时者，天之燥也；日者，月在箕、壁、翼、轸也。凡此四宿者，风起之日也。

　　凡火攻，必因五火之变而应之。火发于内，则早应之于外；火发而其兵静者，待而勿攻；极其火力，可从而从之，不可从则止。火可发于外，无待于内，以时发之。火发上风，无攻下风。昼风久，夜风止。凡军必知五火之变，以数守之。

　　故以火佐攻者明，以水佐攻者强。水可以绝，不可以夺。

　　夫战胜攻取，而不修其功者，凶，命曰费留。故

◎春秋战国的矛◎

曰：明主虑之，良将修之。非利不动，非得不用，非危不战。主不可以怒而兴师，将不可以愠而致战。合于利而动，不合于利而止。怒可以复喜，愠可以复悦，亡国不可以复存，死者不可以复生。故明主慎之，良将警之。此安国全军之道也。

译文

孙子说：火攻的形式一般有五种。一是火烧敌军人马，二是火烧敌军储备的粮草，三是火烧敌军辎重，四是火烧敌军仓库，五是火烧敌军的通道与运输设施（"队"通坠，指坠道）。实施火攻必须具备一定的条件，火攻的器材必须事先准备就绪。放火要看准天时，起火要选好有利日子。火攻的天时，是指气候干燥；火攻的时间，是月亮经行箕、壁、翼、轸四个星宿的时候。凡是月亮经过这四个星宿的时候，就是容易起风的日子。

凡是用火攻敌，都必须根据以上五种情况所引起的不同变化，灵活运用兵力接应。如果从敌营内部放火，就应该及早派兵从外部接应攻击。如果敌营内已经起火，但敌军仍然保持镇静时，就应该耐心等待观察，而不可马上进攻；等到火势十分旺盛时，再根据情况决策，可以进攻就发起进攻，不可以进攻就停止进攻。也可以从敌营外部放火，这样就不必等待有人从内部策应，只要时机适合就可以放火攻击。火攻应从上风处发起，不能从下风头

进攻敌人。白天风刮得很久，到夜晚风就会停止。凡是领兵打仗都必须懂得五种火攻形式的变化，并根据天时气候变化的规律，等待火攻的时机。

用火攻辅助军队进攻，效果十分明显；用水攻辅助军队进攻，可以大大增强攻势。水攻可以隔断敌军的阵形、联系和运输，但不能像火攻那样毁灭敌军的兵马和军需。

如果打了胜仗，占领了敌人的阵地，但不能巩固胜利成果，是很危险的，这就叫做

"费留"(耗费国家人力财力，使军队久留在外。一说"留"同"流"，费流即像流水一样白白损失而一去不复)。所以说，明智的国君应该慎重考虑这一问题，贤良的将帅要认真处理这一问题。没有好处就不采取行动，没有取胜的把握就不用兵，不是到了不得已的危急关头就不开战。国君不能因为一时的愤怒而发动战争，将帅不能因为一时的怨恨而出阵交战。符合国家的利益就可以用兵，不符合国家的利益便停止行动。因为愤怒之后还可以重新欢喜，怨恨之后也可以再有高兴，但是，国家灭亡了便不可能复存，人死了就不会再生。所以，对于战争，明智的国君要慎重对待，优秀的将帅要小心警惕，这是安定国家、保全军队的重要原则。

◎明鎏金铜金钢橛 明木
雕金钢橛◎

评点

　　火攻，是古代作战的重要方法之一。在冷兵器时代，武器尚不具备远距离和大面积杀伤对手的情况下，火攻作为一种特殊有效的进攻手段，作用就更明显。孙武于此专辟一篇，较详细地论述了如何实施火攻的有关问题，一方面是因当时战争的特点决定的，另一方面也说明了孙武对火攻的重视，反映了他在研究具体作战方式、作战手段上，是相当的缜密，并使《孙子》十三篇的体系圆满完整。

　　火攻，顾名思义，就是以火为手段攻敌制胜，就是借助自然力量(火)来辅助进攻，是火器出现前的重要攻击手段，在古代战争中被广泛使用。就是到了兵器已经高科技化的今天，火攻仍然有着相当有效的价值。现代兵器中的火焰喷射器、汽油弹、燃烧弹一类，说到底仍然是火攻的"烟火"而已。海湾战争中，以美国为首的多国部队于1991年1月17日凌晨，向伊拉克突然发起大规模空袭，十四小时内，作战飞机和制导武器，连续三次大规模轰炸，共投射了1.8万吨炸弹。此后，多国部队又以每天两千架次飞机的出动率，对伊方的战略目标进行多层次的连续轰炸。一时间，伊拉克军事设施、通讯联系被炸得稀巴烂，建筑物被毁，油井起火，伊拉克葬身于一片火海之中，来不及作出反应便陷入了瘫痪。多国部队的先机得手，一个重要因素是火焰的威力，也可以视为一种火攻，不同只是放火的方式手段与孙武的兵法，有了天壤之别，效果也大了不知多少倍。

孙武系统地论述了向敌实施火攻的各种问题，如火攻的种类、作用、条件、方法，以及火攻中应注意的问题等等。

孙武将火攻分为五种，即"火人、火积、火辎、火库、火坠"。这里的火，是动词，即用火烧或曰使之着火。孙武将"火人"列于首位，强调战争的胜负取决于双方的有生力量，消灭敌人的兵马是取胜的首要条件。同样，孙武十分看重物质基础与后勤保障在战争中的重要作用，比较全面地列举了用火攻击敌军物资供应的几个方面，这与他在《作战篇》、《形篇》中的有关论述是一致的。另外，对火烧敌军物资、断其供应的重视，也是由于火攻难以直接杀伤敌军官兵，但可以彻底销毁军需物资，造成其后勤供应瘫痪，从而使作战部队人无粮食，马无草料，必败无疑。

　　孙武认为实施火攻必须具备一定的物质条件和气象条件。"行火必有因，烟火必素具"，是做好火攻的准备，包括发火用的器具。"发火有时，起火有日"，是掌握好火攻的时机。选择天气干燥的气候，便于发火成势；选择有风的日子，可以火借风力，越烧越旺。这是对他提出的"道、天、地、将、法""五事"中天时的具体运用。孙武也是将技术手段与战术手段结合运用的典范。他在论述火攻时，指出纵火攻敌只是进攻的一种辅助形式，强调与兵力密切配合才能最后取胜。"以火佐攻者明，以水佐攻者强"。虽

然火攻、水攻都有较强的威力，但若不适时投入兵力实施进攻，也很难取得预期的成功。因此他强调指出，"必因五火之变而应之"，并具体介绍了在内放火、在外接应；火起而敌静，则应静观其变，相机决定是攻是止；时机适合，也可从外放火，便不需内应；火放在上风头，而人不可以下风头进攻；白天风久，夜晚风停等应变的原则方法，告诫用兵者不仅要了解火攻的变化，而且强调必须遵循客观规律，"以数守之"。孙武的态度是务实而清醒冷静的，取决是否火攻，甚而是否开战的原则是"合于利而动，不合于利而止"。

这就涉及到了孙武"慎战论"的思想。从谨慎使用火攻引申开去，孙武在此处完整地论述了"慎战论"的主要观点。首先，他强调从国家利益出发，决定是否用兵，"非利不动，非得不用"。凡人都不做没利的事，无用的功，战争更是如此，不到国家利益受到危逼、万不得已的时候，不可轻意言兵动武，"非危不战"。因此，"主不可以怒而兴师，将不可以愠而致战"，任何人，哪怕是国君与将帅，都不能因自己一时的情感冲动而贸然兴兵打仗。战争毕竟是关乎国家兴亡，以人的生命做赌注的危事，情感用事而导致国破人亡，是得不偿失，而且无法挽回的蠢事。据说，悍然发动第一次世界大战的德皇威廉二世，战败被废黜流放期间，读到了德文版的《孙子兵法》，当读到"主不可以怒而兴师"一段时，不禁喟然长叹"倘若早二十年读到这本书，就决不至于遭此亡国之痛了。"

其次，一旦战争爆发，就应设法巩固胜利的成果。为了各自的利益，争夺不可避免，在"伐谋"、"伐兵"不能达到目的时，"伐兵"、"攻城"就在所难免。战争是政治斗争的最高形式，也是争夺利益的最强硬、最直接的有效方法。因此，只要"合于利"，总会有人在挑起战争。但是，战争只是手段，

◎西汉玉剑珌◎

而绝非目的，目的是得利，那么，在战争获得了胜
利，有所夺取占领之后，就应该认真谨慎
地巩固战果，并求得进一步的发展和扩
大，使之成为真正有益于国家的利。如果
只知攻取而"不修其功"，便无异于劳民伤
财，动而无利，用而不得，这是十分危险的。
明智的国君，优秀的将帅，对此必须仔细思
考，认真对待。

最后，孙武提出了用兵的最高标准——
"安国全军"。维护国家安定，保全军队实力，
是国君、将帅对待战争、思考决策的基本原
则，因此必须非常审慎、十分警觉。类似的思
想，孙武在《计篇》、《谋攻篇》、《地形篇》中，
都有过论述，这里又作为一个原则明确提出，
足见其对"安国全军"的重视。正因如此，有
的论者将"安国全军"视为孙武军事谋略的
首要组成部分，称赞其为"对待战争、控制战
争、驾驭战争的大智慧、大谋略"。

◎驭马俑◎

战例

赤壁之战

"慎战论"的思想，表现了孙武对战争非常慎重、非常认真、非常
严肃的态度，是先秦进步军事思想的典型代表，十分可贵，对后世产生
了很大的积极影响。

在战争史上，火攻的战例数不胜数，仅三国
时，著名的火攻就有诸葛亮火烧博望坡、火烧
新野，大破曹军；火烧藤甲军，七擒孟获；曹操
乌巢烧粮草，终败袁绍；徐盛淮河火攻，击破
曹丕；陆逊火烧连营七百里，逼退刘备大军，等

等,而最为著名的则是国人妇孺皆知的周瑜火烧赤壁。

公元208年,孙权、刘备两军联手同曹操展开对峙,在今湖北江陵与汉口间的长江沿岸地区进行了一次大的会战,史称"赤壁之战"。这一战,确定了三足鼎立的局面。

"赤壁之战"孙、刘两军在实力相差悬殊的情况下,能够取得胜利,依靠的是对战场形势的正确分析,找出曹军的弱点和自身的不利因素,做出正确的判断,两军采取密切协同的策略,避其长击其短,以火攻为辅,乘胜追击的作战方针,彻底击垮了曹军,成为历史上运用火攻,以弱胜强的著名战例。

在官渡之战中,曹操打败了袁绍,占据了八个州的地盘,统一了北方,从而形成了独占中原的局面,那一年,是公元200年。

◎人形车饰 西周◎

在争夺中原的过程中,曹操采取了一系列行之有效的措施,从而建起一支拥有极强战斗力的军队。在结束对乌桓的战争后,曹操的后方基本稳定,这使他进一步强化了夺取全国的封建统治权的欲望,于是便积极做向南方进军的准备,他在邺城修建玄武池训练水军,并派人到凉州(今甘肃)授马腾为卫尉予以拉拢,以避免南下作战时侧后受到威胁。

当时,南方的主要割据势力有两个,一是吴国的孙权,他占据扬州的吴郡、会稽、丹阳、庐江、豫章、九江等六郡。这些地方土地肥沃,物产丰富,在当时遭受战乱较少。而北方人的南迁又给当地带来了先进的生产技术,因此东吴的经济有了长足的进步,国力有所增强。在军事上,孙权拥有精兵数万,有周瑜、程普、黄盖等著名将领,内部团结,加上据有长江天险,因而使它成为曹操吞并天下的主要障碍。

南方另一个主要割据势力是荆州的刘表。他基本上采取了维持现状的政策。但这时刘表本人年老多病,处事懦弱,其子刘琦和刘琮又因争夺继承权而闹得不可开交,所以政权并不稳固。

至于刘备,在当时还没有自己固定的地盘,他原来依附袁绍,官渡之战后投奔刘表。刘表让刘备屯兵新野、樊城,为自己据守阻止曹军南下的门户。但刘备并非寻常之辈,他的雄心是"匡复汉室",所以乘着这个机会积极扩充军队,网罗人材。当时他拥有诸葛亮、关羽、张飞、赵云等谋士、猛将,是曹操吞并天下的又一个重要障碍。

公元208年七月,曹操亲率大军南下,他的第一个战略目标是荆州。因为荆州不仅物产丰富,而且地居长江中游,是南北交通的要道。占据了荆州,既能够控制今湖北、湖南地区,又可以顺江东下,从侧面打击东吴;向西进军则可以夺取富饶的益州(今四川)。同年八月,刘表病死,其次子刘琮继任荆州牧。九月,曹操进抵新野,刘琮不战而奉表迎降。

刘备在樊城获悉刘琮投降的消息后,急忙率所部向江陵(今湖北

◎赤壁图◎

江陵)退却，并命令关羽率领水军经汉水到江陵会合。江陵是荆州的军事重镇，是兵力和物资的重要补给基地。曹操担心江陵为刘备所占有，便亲自率领轻骑五千，日夜兼行三百里，追赶行动迟缓的刘备军队，在当阳(今湖北当阳)的长坂坡击败刘备，占领了战略要地江陵。刘备仅仅同诸葛亮、张飞、赵云等几十骑突围逃到夏口(今湖北汉口)，同关羽的一万多水军以及刘表的长子刘琦率领的一万多人马会合后，退守长江南岸的樊口(今湖北鄂城西北)。

　　曹操占据江陵之后，企图乘胜顺流东下，占领整个长江以东的地区。谋士贾诩认为应利用荆州的丰富资源，休养军民，巩固新占地，然后再以强大优势迫降孙权。但是曹操由于对荆州的军事行动进展顺利，获得大量的军事物资和降兵、降将，实力大增，因而滋长了轻敌情绪，坚持继续向江东进军。

　　在曹操进兵荆州以前，东吴曾经打算夺占荆州与曹操对峙。刘表死后，东吴又派鲁肃以吊丧为名去侦察情况。鲁肃抵江陵时，刘琮已投降了曹操，刘备正向南撤退。鲁肃即在当阳的长坂坡会见刘备，说明联合抗曹的意向。刘备正在困难之际，便欣然接受了这个建议，并派诸葛亮随鲁肃前去会见孙权。诸葛亮向孙权分析了当时的形势，指出：刘备最近虽兵败当阳长坂坡，但是还具备着水陆二万余众的军事实力。曹操兵力虽多，但是长途跋涉，连续作战，非常疲惫，就像一枝飞到尽头的箭镞，它的力量连一层薄薄的绸子也穿不透了。何况曹军多是北方人，不习水战，荆州是新占之地，人心不服。在这种形势下，只要孙、刘两家携手联合，同心协力，一定能够打败曹军，造

◎传说中诸葛亮发明的"木牛流马"。◎

◎图右为安徽亳县大关帝庙◎

就三分天下的形势。孙权赞同诸葛亮的分析,打消了对联合抗曹的顾忌。

但是东吴内部也存在着反对抵抗、主张投降的势力。长史张昭等人为曹操的声势所慑服,认为曹操"挟天子以令诸侯",兵多势众,又挟新定荆州之胜,势不可挡;双方实力相差悬殊,东吴难以抵御曹军的进攻,不如趁早投降。张昭是东吴文臣的领袖,他这样的态度,使得孙权左右为难。这时主战派鲁肃密劝孙权召回东吴最高军事统帅周瑜商讨对策。

周瑜奉召从鄱阳赶回柴桑(今江西九江西南)。他同鲁肃一样,也主张坚决抗御曹操。他认为:曹操虽然统一了北方,但是后方局势并不稳定,马超、韩遂对凉州的割据,对曹操侧后是一个很大的威胁。曹军舍弃北方军队善于骑战的长处,而同吴军进行水上较量,这是舍长就短。加上时值隆冬,马乏饲料,北方部队远来江南,水土不服,必生疾病。这些都是用兵的大忌。曹操贸然东下,失败不可避免。接着,周瑜又向孙权分析了曹操的兵力,认为曹操的中原部队不过十五六万,并且疲惫不堪。荆州的降兵最多有七八万人,而且心存恐惧,没有斗志。这样的军队,人数虽多,并不可怕,只要动用精兵五万,就足以打败曹军。周瑜深入全面的分析,使孙权更加坚定了联刘抗曹的决心。于是,就拨精兵三万,任命周瑜、程普为左右都督,鲁肃为赞军校尉(军事参谋长),率领军队与刘备会师,共同抗击曹操。

公元208年十月,周瑜率兵沿长江西上到樊口与刘备会师。

◎镶嵌龙纹方豆◎

盖顶四隅各有一环钮,两侧有环耳。器两侧也有环耳,与盖耳上下相应。通体镶嵌红铜龙纹。方豆同出两件,光泽无锈,色彩金红分明。

尔后继续前进,在赤壁(今湖北嘉鱼东北)与曹军打了一个遭遇战,曹军战败,退回江北,屯军乌林(今湖北嘉鱼西),与孙、刘联军隔江对峙。

这时曹军中疾病流行,又因多是北方人,不习惯于水上的风浪颠簸,便用铁环把战船连结起来。周瑜的部将黄盖针对敌强我弱,不宜持久,和曹军士气低落、战船连接等实际情况,建议采取火攻,奇袭曹军战船。周瑜采纳

◎古代玉剑饰◎

了这一建议, 制定了"以火佐攻", 因乱而击之的作战方针。

周瑜利用曹操骄傲轻敌的弱点, 先让黄盖写信向曹操诈降, 并与曹操事先约定了投降的时间。曹操不知是计, 欣然接受。黄盖率蒙冲(一种用于快速突击的小船)、斗舰数十艘, 满载干草, 灌以油脂, 并加以伪装, 插上旌旗, 同时预备快船系挂在大船之后, 以便放火后换乘。当时, 正刮着东南风, 战船航速很快, 向曹军阵地接近。曹军以为这是黄盖真来投降, 皆"延颈观望", 毫不戒备。黄盖在距曹军二里许, 下令各船同时放火。一时间"火烈风猛, 船往如箭", 直冲曹军。曹军船只首尾相连, 分散不开, 移动不便, 顿时成了一片火海。

这时, 风还是一个劲地刮, 火势遂向岸上蔓延, 一直烧到了岸上的曹军营寨。曹军被这突如其来的大火烧得惊慌失措, 溃不成军, 烧死、溺死者不计其数。在长江南岸的孙刘联军主力船队乘机擂鼓前进, 横渡长江, 大败曹军。曹操被迫率军由陆路经华容向江陵方向撤退, 行至云梦时曾一度迷失道路, 又遇风雨, 道路泥泞, 以草垫路, 才使骑兵得以通过。一路上, 人马自相践踏, 死伤累累。孙、刘联军乘胜水陆并进, 一直追到南郡(今湖北江陵境内)。曹操留曹仁、徐晃驻守江陵, 乐进驻守襄阳, 自率残余部队逃回北方。赤壁之战至此以孙权、刘备方面大获全胜而告结束。

赤壁之战, 是我国历史上火攻的典型战例。在这次战争中, 弱小的孙权、刘备联军面对屡战屡胜、兵锋甚锐的曹操大军, 在知彼知己的基础上, 针对曹操骄傲轻敌、舍长用短的特点, 利用地理、天时方面的有利条件, 果断采取"以火佐攻"的作战方针, 乘敌之隙, 一举而胜之。在具体作战过程中, 孙、刘联军也认真贯彻了孙子《火攻篇》中所倡导的基本原则。首先, 他们充分做好了实施火攻的准备, 即准备了充足的火攻器材和用于突击的蒙冲等物, 这就是所谓的"行火必有因, 烟火必素具"。他们也做到了"发火有时, 起火有日", 即充分利用东南风大起的机会, 及时地放火焚烧曹军的战船。孙子说:"火发于内, 则早应之于外。"周瑜、刘备等人在实施火攻袭击成功的情况下, 不失时机地率领主力船队横渡长江, 乘敌混乱不堪之际, 奋勇攻击曹军, 从而扩大了战果, 赢得最后的胜利。孙、

◎唐鎏金婴戏纹银壶◎
酒器。银质, 鎏金。侈口, 高颈, 球腹, 圈底, 底有三足已失。颈部自上而下刻联珠纹、折带纹及蔓草纹。腹部刻三组人物图案: 一幅童子舞乐图, 另一幅童子斗草图, 第三幅为说唱图。三组图案以针叶、草叶纹相间, 底外刻十二重瓣莲一朵。

刘联军在赤壁鏖战的突出表现,证明了它的统帅集团不愧为谙熟"凡军必知有五火之变,以数守之"这一火攻原则的卓越代表。

孙子在《火攻篇》说道:"夫战胜攻取,而不修其功者,凶,命曰费留。"曹操在夺取荆州后,不能"修其功",拒绝了贾诩关于先稳定新占领区再伺机攻打东吴的正确建议,轻敌冒进,率意开战,在作战部署上又犯连接战船等错误,加上对孙、刘联军可能实施火攻的情况茫然无知,疏于戒备,轻信黄盖的诈降欺骗,终于导致可悲的失败,葬送了统一全国的大好机会,其教训是非常深刻的。

历代名将

周 瑜

周瑜(公元175~210年),字公瑾,三国时期吴国著名的军事家。美姿容,精音律,多谋善断,人称周郎。周瑜出身士族,自幼刻苦读书,尤喜兵法。他生逢乱世,时局不靖,烽火连延,战端四起,于是总想廓清天下。

周瑜自幼与孙策交好,孙策于袁术麾下初崛起时曾随之扫荡江东。袁术心慕周瑜的才干,欲聘周瑜为将,但是周瑜以袁术难成大事而拒绝。其后设法投奔孙策,为中郎将,孙策相待甚厚,又同时迎娶有"国色"之称的二乔,成为连襟。孙策遇刺身亡后,周瑜与张昭一起共同辅佐孙权,为中护军,执掌军政大事。

公元208年,周瑜力主出兵抗击曹军,最后火烧曹营,大败实力雄厚的曹操,自此声威大震,名扬天下,同时也为三分天下奠定了基础:后来图进中原,不幸早逝。

用间篇第十三

开篇

　　孙武将《用间篇》列为《孙子》的最后一篇，是颇具匠心的有意安排。孙武军事理论中，"知己知波，百战不殆"，是其重要的基石之一，用间是"知波"的最重要、最可靠的途径和手段。因而，从逻辑上说，把"用间"放在孙子兵法的最后位置，便带有总结性的意义。

原文

　　孙子曰：凡兴师十万，出征千里，百姓之费，公家之奉，日费千金；内外骚动，怠于道路不得操事者，七十万家。相守数年，以争一日之胜。而爱爵禄百金，不知敌之情者，不仁之至也，非人之将也，非主之佐也，非胜之主也。故明君贤将，所以动而胜人，成功出于众者，先知也。先知者，不可取于鬼神，不可象于事，不可验于度，必取于人，知敌之情者也。

　　故用间有五：有因间，有内间，有反间，有死间，有生间。五间俱起，莫知其道，是谓"神纪"，人君之宝也。因间者，因其乡人而用之。内间者，因其官人而用之。反间者，因其敌间而用之。死间者，为诳事于外，令吾间知之，而传于敌间。生间者，反报也。

　　故三军之事，莫亲于间，赏莫厚于间，事莫密于间。非圣智不能用间，非仁义不能使间，非微妙不能得间之实。微哉微哉！无所不用间也。间事未发而先闻者，间与所告者皆死。

凡军之所欲击，城之所欲攻，人之所欲杀，必先知其守将、左右、谒者、门者、舍人之姓名，令吾间必索知之。

必索敌间之来间我者，因而利之，导而舍之，故反间可得而用之。因是而知之，故乡间、内间可得而使也。因是而知之，故死间为诳事，可使告敌。因是而知之，故生间有使如期。五间之事，主必知之，知之必在于反间，故反间不可不厚也。

昔殷之兴也，伊挚在夏；周之兴也，吕牙在殷。故惟明君贤将，能以上智为间者，必成大功。此兵之要，三军之所恃而动也。

译文

孙子说：大凡兴兵十万，出征千里，平民百姓的物质耗费，国家公务的开支费用，每天都需要花费数目巨大金钱；全国上下内外，因之而动乱不安，民夫兵卒奔波耽搁于路途，不能正常从事自己的工作的，就会有七十万家之众（古制：一家从军，需七家负担战争劳役）。敌我两军相持数年，为的是争取有朝一日的胜利。所以，那些吝惜钱财官爵，不肯通过用间谍而了解敌情的将帅，实在是没有仁爱之心到了极点。这样的人，不配作军队的统帅，不配做国君的辅佐，也不能成为战争胜败的主宰。英明的国君，优秀的将帅，他们之所以一出兵就能战胜敌人，取得的成功超过一般人，就在于用兵之前便了解掌握了敌情。要事先了解敌情，决不能依靠鬼神的启示，也不能用某些事件现象的类比推测，更不可用日月星辰运行的度数去验证，而只能从那些真正熟悉敌情的人那里获得。

间谍的运用方式有因间、内间、反间、死间、生间五种。五种间谍同时活动，使敌人不能知道我国用间谍的规律和途径，这就是所谓的"神纪"——神秘莫测的方法，是国君克敌制胜的法宝。所谓"因间"，是利用敌国居民中的普通人做间谍；"内间"，是利用敌方的官员做我方的间谍；"反间"，是利用敌人的间谍来为我们做间谍工作；"死间"，是潜入敌营，将假情报送给我方间谍，然后传给敌方间谍的特殊间谍(因真情一旦败露，此类间谍难免被杀，故称死间)；"生间"，是指能活着回来报告敌情的间谍。

◎铜镜◎

所以，对于统领三军、用兵打仗的国君和主将来说，全军上下没有比间谍更为亲近的人，奖赏没有比间谍更优厚的，交待处理的事务没有比间谍更机密的。不是睿智聪明的人不能使用间谍；不是仁慈慷慨的人不能指使间谍；不是精细算计的人，不能获得间谍的真实情报。微妙呀，微妙！没有什么地方不可以使用间谍。如果间谍工作尚未进行就泄露了用间的消息，那么，间谍和告密者都应该处死。

凡是我军想要攻击的敌军，想要攻打的城堡，准备刺杀的敌方官员，都应该事先了解敌方的守将及其左右亲信、掌管通讯联络和把守门户的官员、以及幕僚门客的姓名，这些情况我方的间谍一定要侦察清楚。

必须查出来侦察我方情况的敌方间谍，用优厚待遇和金钱收买他们，对他们进行引诱开导，然后交给他们任务，放他们回去，这样就可以使他们成为反间，为我所用了。因为有了反间提供的情报，所以就可培植、利用因间和内间了。同样，根据反间提供的情报，死间传播的假情报，就可以通过反间而告知敌人。也是因为有了反间，我方的生间就可以按预定的时间回来汇报敌情。对于五种间谍的情况，君主必须清楚地知道，而更应该懂得，关键又在于利用反间，所以，对反间的赏赐待遇不能不是最优厚的。

　　从前，殷商的兴起，得力于伊尹（伊挚即伊尹，商汤任他为相）曾在夏朝做过官；西周的兴起，得力于姜尚（姜尚又名吕尚，号子牙，武王伐纣时为军师）曾在殷商为臣。所以，明智的国君，贤良的将帅，能使用智慧高超的人做间谍，一定能取得极大的成功。这是用兵作战的要诀，整个军队都要依据他们提供的情报来决定军事行动。

◎甘肃汉长城遗址◎

评点

　　孙武将《用间篇》列为《孙子》的最后一篇，是颇具匠心的有意安排。孙武军事理论中，"知己知彼，百战不殆"，是其重要的基石之一，"知"是孙武时时处处都念念不忘的主要问题，是决定战争胜败的关键因素。相对而言，"知己"较为容易，而"知彼"则相当困难。有了"知"的主观愿望和高度重视，如果没有通畅的渠道和有效的手段，彼敌之情很难尽知、确知，也就无从制定正确的战略战术。用间，正是"知彼"的最重要、最可靠的途径和手段。因而，从逻辑上说，把"用间"放在孙子兵法的最后位置，便带有总结性的意义。

　　孙武专辟一篇集中论述用间，说明了他对用间的重视。因此，本篇开宗明义，首先强调使用间谍侦察敌情的重要意义，将其视为用兵作战的要事之一。孙武从战略大局的角度出发，强调指出战胜敌人、成就丰功伟业的重要条件是"先知"。能预先知道敌方的详情，就能相应地制订我方的战略部署和行动方案，那么，就可以"动而胜人，成功出于众"。而"不知敌之情者"，则不能速胜，甚至完全没有胜利的可能，那么，"日费千金"、"不得操事者，七十万家"、"相守数年"，很可能争不得"一日之胜"，劳民伤财，既不能"唯民是保"，也无法利国佐君。果真如此，统领三军的将帅便是"不仁之至也，非人之将也，非主之佐也"。

　　那么，如何才能"先知"呢？孙武认为，不求助于鬼神，不用类比推测，也反对占卜、观天象、验谶纬，而主张"用间"，"必取于人，知敌之情者"。孙武强调和看重人在战争中的作用，是一贯的思想。这里强调从事特殊工作的人——间谍，对掌握敌情、正确决策的特殊作用，正是其人本思想的具体表现。而重人事轻鬼神，为大局舍小财的观点，更表现了朴素的唯物主义认识思想和实事求是的精神特征，这在孙武军事思想中，是极有光彩的精华，在当时能有这样的自觉性和认识高度，是十分正确而且非常难能可贵的。同时，孙武将是否重视和善于使用间谍刺探侦察敌情，视为衡量国君将帅明智

还是愚顽、仁贤还是凶劣标准，对重间、用间者备加称赞，对吝惜"爵禄百金"而使"日费千金"旷日持久，因小失大者，痛加斥责，凡此，不仅表现了孙武对用间的高度重视，而且从一个新的角度阐发了他"合于利而动"的指导原则。

在论述了用间意义之后，孙武具体介绍了间谍的种类、活动特点、作用和使用间谍的方法、原则。孙武将间谍分为因间、内间、反间、死间、生间五种，并对其人员身份、活动特点做了指示，明确指出，"无所不用间"，"五间俱起，莫知其道"，而"吾必索知之"。使用间谍的范围相当广泛，可以无所不用，我方的间谍全面出动，使敌人摸不着头绪，而我方则通过间谍可以详细确切地掌握敌情，击军、攻城、杀人，皆可情况清楚，"动而胜人"。正因如此，间谍在统帅者那里，是关系最密切的人，得赏赐最多的人，是从事最机密的工作、完成最隐秘的任务的人，同时也是处境最危险的人(深入敌占区和敌人内部，其险自不待言，就是尚未进入工作状态，也有因机密失泄而被杀人灭口的危险，"间事未发而先闻者，间与所告者皆死")。也正因为这样，使用间谍的统帅必须具有"圣贤"、"仁义"的智慧和品质，必须有精细的算计和巧妙的安排，否则，便不可用间，即使用间，也达不到预期的目的，反而有可能造成我间被敌利用，成

◎铜邓仲牺尊◎

◎蟠龙四凤双链盒◎

为反间的危险。

　　五间之中，孙武最重视的是"反间"，即利诱收买敌人的间谍而为我所用。由于敌间在其内部的特殊身份，一旦成为反间为我所用，往往可以发挥意想不到的作用，因间、内间可以通过反间提供的情况而培植、发展，死间的假情报可以通过反间顺利传达到敌军指挥层，而减少敌方的怀疑，同时，生间也可以按期将所需情报汇报回来。堡垒最容易从内部攻破。任何强大的敌人，一旦从内部分化瓦解了，便没有打不败的事。孙武特别重视"反间"，强调"五间之事"，"知之必在于反间"是有道理的，"反间"的确十分有效、作用巨大。

◎项羽雕塑◎

在间谍的使用上，孙武提出了亲抚、重赏、秘密三个要素。亲与密又紧紧联系。不是心腹，不可以言秘；间事不秘，则为己害。而使间亲、使事秘，能让间谍死心踏地、临危不变，则靠厚赏优待。这中间包含了对间谍的培养和使用两个方面。在间谍的人选上，孙武认为最理想、最重要的原则是"以上智为间"。所谓"上智"者，就是像伊挚(伊尹)、吕牙(姜太公)那样有大智大勇大谋略的人。任用这样的人做间谍，没有成就不了的功业。

最后，孙武得出结论：用间，"此兵之要，三军之所恃而动也"。用间在军事活动具有举足轻重的地位，甚至是全军将士成败得失、身家性命的依靠。

《孙子》以《用间篇》收束全书，不仅与论述战略决策的《计篇》首尾照应，

相互辉映，使全书结构浑圆、体系完满，同时也可看出孙子"知己知彼"、"先胜而后求战"的"全胜"思想，始终如一，一贯到底。这种谋篇布局的功力，也正与孙武谋攻伐战的智慧一样，是值得后人学习借鉴的。

在为了本国、本团体的利益而进行的各种争夺攻战中，间谍的作用的确相当重要，有时甚至可以成为关系胜败的决定因素。孙武所举伊尹和姜子牙，虽然身份与严格意义上间谍有较大差距，但他们熟悉敌方情况，对君主的正确决策和攻伐的最终胜利所发挥的巨大作用，却是千真万确、有史为证的。秦桧效忠金国，充当内间，残害岳飞，阻挠收复中原，终使南宋国力日衰，长期苟安江南而无所作为，更是尽人皆知的事实。而楚汉相争中，实力强大的项羽终于败在本来较为弱小的刘邦手上，关键的

◎防卫障墙◎

转折点是他中了陈平的反间之计。

公元前205年，楚霸王项羽率兵围攻荥阳，汉军只有招架之功而毫无还手之力。汉王刘邦下令闭城固守，急召谋臣商议破敌之计。陈平献计：项羽手下的得力干将，不外范曾、钟离昧几人。大王如能不惜重金，贿赂利诱楚人，散布流言，离间项羽君臣关系，使他们互相猜疑，然后乘隙进攻，何愁楚军不破。刘邦闻言大喜，拨出黄金四万斤交由陈平实施反间计。陈平挑选若干自己的心腹小校，带足金钱，混入楚营收买间谍，使他们在楚军中散布谣言。不久，楚营中便到处流传谣言，说钟离昧功劳很大，却得不到封赏，钟离昧准备与汉王联手灭楚，然后瓜分楚地。项羽生性多疑，听到谣言后便起了戒心，从此不再找钟离昧商议大事。陈平见首战告捷，便又将离间目标对准范曾。范曾是项羽的智囊，项羽尊范曾为"亚父"，大小事情都找他商议。鸿门宴上，刘邦差一点栽在范曾手上。这次荥阳之战，刘邦假意求和，又被范曾识破，告诉项羽："这是缓兵之计，刘邦意在拖延时间，等待韩信的救兵。必须加速攻城，消灭刘邦之后，再去剿灭韩信。"项羽听言猛攻荥阳，但一连几天都未能攻下。这时，刘邦又派使者来求和，愿意以荥阳为界，与楚东西分而治之。项羽虽不答应议和，却派了使者去汉营探听虚实。此一去，便为陈平提供了可乘之机。

楚使向刘邦转达了项羽不肯议和的旨意后，被陈平接到馆舍，以诸侯之礼款待，设下了丰盛的宴席。尚未开席，陈平便向楚使打听范曾的情况，而只字不提项羽。使者说："我受项王之命出使，并非受亚父派遣。"陈平闻言，假装吃惊异常："你原来是项王派来的！"说完扭头就走，并命人撤去宴席和服侍人员。楚使一人独坐馆舍，好久不见再有人来，直到日影西斜，才有人来送饭，却是粗茶淡饭，无一点荤腥不说，还有一阵臭味，连酒也是酸的。楚使气愤不已，便不告而别，径自返回楚营。受了一通窝囊气，楚使回营后，

把这段经历添油加醋向项羽做了汇报。无意之间，做了一回陈平的反间。性情暴躁多疑的项羽，听了使者的汇报，不禁勃然大怒，对范曾产生了怀疑。

此时，范曾还蒙在鼓里，忠心耿耿为项羽出谋划策。见项羽几天攻城不力，便催促加紧攻城，并说："现在刘邦兵困荥阳，是灭汉的天赐良机。如不从速决断，再次纵虎归山，后果将不堪设想。"项羽听范曾指责，忍不住气上心头，便说："你要我攻荥阳，我并非不想攻。只怕是荥阳尚未攻下，我的性命就早被你送掉了。"范曾听后吃惊不小，心想项羽从未对自己说过这样难听的话，一定是近来听信了谣言，竟然怀疑起自己的忠心了。范曾顿时觉得心寒意冷，便对项羽说："现在天下大势已定，愿大王好自为之，千万不要中了敌人的奸计。我已年迈无用，请允许我告老还乡吧！"说完便头也不回走出去。随即，范曾将项羽授给他的历阳侯印绶派人送还给项羽，草草收拾行装离楚营而去。可怜范曾，本来就年老多病，又气郁于心，在回家途中便发病身亡。

范曾一死，项羽便如无头苍蝇一般，东碰西撞，争霸事业开始走下坡路，没几年就被刘邦逼得四面楚歌，自刎于乌江。

陈平施行反间计，除掉了项羽的得力辅佐范曾和钟离昧，使楚汉实力发生了重大转变，终于成就了刘邦统一中国的伟业。"用间"之微妙神奇，可见一斑。两千年以后的今天，孙武用间的具体方法显然已经过时，根本无法与现代情报手段相比，但是，《用间篇》的基本思想却不仅没有过时，而且更是"无所不用间"。美国的中央情报局，前苏联的克格勃，都是当今世界最大的间谍集团，其用间的范围远远超出了军事领域，渗透到了包括政治、经济、文化、外交等所有方面。随着冷战时代的结束，间谍活动大幅度向经济领域转移，商业、技术情报的刺探，已成为当今间谍的主要方向，这是人所共知的秘密。这大概是孙武不可能想见的。

历代名将

关 羽

字云长（？～公元219年），本字长生，并州河东解县（今山西省运城市）人，东汉末年刘备麾下著名将领，据《三国演义》描写，关羽身长九尺，与刘备、张飞桃园结义。一直以来是民间百姓崇祀的对象。曾任蜀汉政权前将军，爵至汉寿亭侯。谥曰"壮缪侯"。

在《三国演义》中被描述为蜀汉五虎上将之首，死后受民间推崇，又经历代朝廷褒封，被人奉为"关圣帝君"，佛教称为"伽蓝菩萨"，尊称为"关公"。被后来的统治者崇为"武圣"，与"文圣"孔子齐名。最后被封为"盖天古佛"。《三国演义》中，有"千里走单骑"、"单刀赴宴"、"温酒斩华雄"等佳话。

《三国演义》中对关羽有这样的评价："汉末才无数，云长独出群，神威能奋武，儒雅更知文。天日心如镜，《春秋》义薄云，昭然垂千古，不止冠三分。"

战例

应天之战

公元1351年，爆发了以反抗元王朝的红巾军农民大起义。

起义爆发后，长江、淮河流域等广大地区的农民也纷纷举行起义，一时间全国人民反元声势空前高涨，农民起义军逐渐在一场场胜利中发展壮大，农民革命形势日益高涨。

朱元璋就是从农民起义中脱颖而出的代表。朱元璋出身贫农，曾因贫困难为生计而入皇觉寺为僧，农民起义爆发后，他参加起义军，很快便成长为出色的军事将领。他富有敏锐的政治眼光，善于用人，经过多年的经营，朱元璋的势力越来越大，成为当时一股举足轻重的政治势力，而朱元璋本人，在这个过程中完成了他人生角色的转换。

公元1358年，朱元璋占领了江苏大部、浙江、安徽一部的广大地区。但他并没有因而满足，他还有更大的目标。

当时，全国的形势有很大的变化，在北方，刘福通领导的红巾军节节溃退，似乎在某种程度上给了已经站在悬崖边上的元王朝以喘息的机会；在南方，已形成了以陈友谅为首的几个大的军事集团。在南方诸集团中兵力最强，野心最大，当数陈友谅，他和朱元璋的矛盾也是最深的。

朱元璋根据当时形势和自己处于陈友谅和张士诚两大势力之间的处境，向刘基征询攻守之计。刘基提出先打陈友谅，后打张士诚的谋略，他向朱元璋分析说：

张士诚专意保守现有地区，不足为虑。相反陈友谅"劫主（挟持徐寿辉）胁下"，又处于上流地区，应该先翦灭他。等到陈友谅被平定后，张士诚势孤力单，也可以一举消灭。然后再出兵中原，灭掉元朝，建立起帝

王之大业。朱元璋采纳了刘基这一建议,正式确定了先陈后张,统一江南,然后北上灭元,统一全国的战略方针。

公元1360年,陈友谅率舟师十万,攻取太平,夺占采石。陈友谅进驻采石后便杀死徐寿辉,自立为皇帝,国号汉,改元大义。没过多久,他便约张士诚夹攻朱元璋。

当时,陈友谅兵力上对朱元璋占有很大的优势,陈军的舟师尤为强大。在陈友谅优势兵力大举东下面前,朱元璋的部下,有的主张举城投降,有的主张退守钟山(今南京紫金山),也有的主张先决一死战,打不赢再跑。朱元璋采纳了刘基"伏兵伺隙击之"的建议,决定在应天与陈友谅决战。他为了防止陈友谅与张士诚联手,陷己于两面受敌的困境,并利用陈友谅求战心切、骄傲轻敌的心理,决定巧妙用间,诱敌深入,设伏聚歼,击败陈军。

为此,朱元璋让陈友谅的老友康茂才写信给陈友谅,称其愿意里应外合,一起收拾朱元璋,约定以呼"老康"为暗号,在江东桥会合。与此同时,朱元璋根据应天的有利地形,作出军事部署,配合此次军事行动。派常遇春、冯国胜、华高等领兵三万,埋伏于石灰山;命徐达等人率兵列阵于南门外,等待来军;在战前得到消息,陈友谅在打听新河的地形,便依此派赵德胜率兵横跨新河筑虎口城等一系列的军事部署。在此之前,朱元璋派遣将军胡大海自婺州、衢州率兵西攻信州,对陈友谅的侧后实施威胁和牵制。

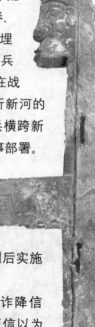

陈友谅收到康茂才的诈降信后,以为老朋友念旧情,便信以为真,不等张士诚的出兵配合,率军自采石进抵大胜港。到了江东桥上,连声呼唤"老康"根本没有人响应,才

◎江苏苏州虎丘，孙武子亭◎

知道中计，被动中仓促派遣士卒万人登岸立栅。

朱元璋在卢龙山上看到陈军进入伏击圈，遂乘其登岸立营未固之际，举起黄旗，发出出击信号。一时间鼓声震天，伏兵四起，水陆夹击。陈军遭此突然打击，阵势大乱，争相登舟而逃。此时正值江水退潮，陈军的巨舰搁浅，无法移动。陈军士卒被杀和落水而死者甚多，被俘二万余人。陈军诸将见情势危急，纷纷向朱军投降。朱军缴获巨舰百余艘。陈友谅本人乘坐小舟侥幸逃回江州。此时，张士诚守境观望，未敢出兵助陈。朱元璋挥师乘胜追击，夺回安庆、太平，并占领了信州、袁州等地。这场关系到朱元璋君臣存亡生死的应天之战，终于以朱元璋的大获全胜而告结束。

应天之战的失败，使陈友谅集团内部矛盾激化，陈友谅的政令、军令根本无法得到贯彻执行，一时间处于十分孤立的境地。

朱元璋正是看到了陈友谅的这些弱点，不断扩张自己的势力范围。

就在公元1361年这短短的一年之中，攻克了蕲州、黄州、兴国、黄梅、乐平等地，在巩固自身实力的同时，也扭转了陈强朱弱的局面，为公元1363年鄱阳湖大战最后消灭陈友谅打下了良好的基础。

◎朱元璋设伏聚歼陈友谅◎

能够取得应天之战的胜利，一个重要的原因就是朱元璋善于"用间"，迷惑陈友谅使其作出错误的判断。朱元璋注重了解陈友谅性格、为人的康茂才等人那里，抓住陈友谅骄傲自大的特点，有针对性地采取策略。孙子说："因间者，因其乡人而用之。"康茂才是陈友谅的老友，根据这一情况，朱元璋对陈友谅采取了"因间"手段，利用康茂才写信诈降，诱使陈友谅进入自己设计的圈套中，使得自己最终赢得战争的胜利。

历代名将

曹操

曹操（公元155~220年），字孟德，小名阿瞒，沛国谯（今安徽省亳州市）人。东汉末年杰出的政治家、军事家、文学家、诗人。

政治军事方面，曹操消灭了众多割据势力，统一了中国北方大部分区域，并实行一系列政策恢复经济生产和社会秩序，奠定了曹魏立国的基础。文学方面，在曹操父子的推动下形成了以三曹（曹操、曹丕、曹植）为代表的建安文学，史称"建安风骨"，在文学史上留下了光辉的一笔。魏朝建立后，曹操被尊为"武皇帝"，庙号"太祖"。

曹操对文学、书法、音乐等都有深湛的修养。他的文学成就，主要表现在诗歌上，散文也很有特点。

曹操著述，据清姚振宗《三国艺文志》考证，有《魏武帝集》三十卷录一卷、《兵书》十三卷等十余种，但是多数已经找不到了，现在存世的只有《孙子注》一部。明代张溥辑散见诗、文等一百四十五篇为《魏武帝集》，收入《汉魏六朝百三家集》中。丁福保《汉魏六朝名家集》中也有《魏武帝集》，所收作品略多于张溥辑本。1959年，中华书局据丁福保本，稍加整理补充，增入《孙子注》，又附入《魏志·武帝纪》、《曹操年表》等，重新排印为《曹操集》。